BAYERISCHE AKADEMIE DER WISSENSCHAFTEN

PHILOSOPHISCH-HISTORISCHE KLASSE

SITZUNGSBERICHTE · JAHRGANG 1987, HEFT 2

C0-AVO-004

KURT RUH

Die mystische Gotteslehre des Dionysius Areopagita

Vorgetragen am 6. Februar 1987

MÜNCHEN 1987

VERLAG DER BAYERISCHEN AKADEMIE DER WISSENSCHAFTEN

In Kommission bei der C. H. Beck'schen Verlagsbuchhandlung München

BR
65
.D66
R84
1987

ISSN 0342-5991
ISBN 3 7696 1544 1

© Bayerische Akademie der Wissenschaften München, 1987
Druck der C. H. Beck'schen Buchdruckerei Nördlingen
Printed in Germany

Maximus ille divinorum scrutator

(Nikolaus von Kues, De docta ignorantia I 16)

Nach tausend Jahren Glanz und Ruhm wurden Dionysius Areopagita und seine Schriften seit Beginn der Neuzeit zum wissenschaftlichen Rätsel, ja für viele zum Ärgernis. Dieses besteht in der Tatsache, daß der Verfasser, der gegen Ende des 5. Jahrhunderts gelebt haben muß, sich als jenen Dionysius, ,,eine[n] aus dem Rat" (Apost. 17,34), ausgibt, der durch die Rede des Paulus auf dem Areopag in Athen diesem (in der Sprache der Lutherbibel) ,,anhieng" und ,,gläubig" wurde. Wer den literarischen Betrug betonen will, spricht von Pseudo-Dionysius-Areopagita; korrekt wäre Dionysius Pseudo-Areopagita. Das ,,Rätsel" aber besteht darin, daß die Schriften eines ,,Fälschers" (wie er, ich meine: mißverständlich, immer wieder apostrophiert wird), dessen neuplatonische Herkunft und gelegentlich zweifelhafte Christologie nicht zu übersehen waren, das ganze Mittelalter hindurch einen Einfluß ohnegleichen, vergleichbar mit demjenigen Augustins oder Gregors des Großen, auszuüben vermochten.

Aber sind Mystifikation und Fiktion, zeitgeschichtlich betrachtet, wirklich ein Ärgernis, das den Autor in Mißkredit bringen muß, und der grenzenlose Erfolg von der Sache, das heißt von den Texten, her ungerechtfertigt und deshalb rätselhaft? Darüber wird zu handeln sein. Vorwegnehmen aber möchte ich die persönliche Erfahrung: Der Leser, der, aus welchem Grunde auch immer, bewußt oder unwissend, die geschichtlichen Bedingtheiten der dionysischen Schriften auf sich beruhen läßt, ist sicher heute noch bereit, mit dem Cusanus bewundernd auszusprechen: *Maximus ille divinorum scrutator*.

Ausgaben:

Griechisch in PG 3 mit der lateinischen Übertragung des Balthasar Cordier S. J. (1634). – Neuausgabe der ‚Himmlischen Hierarchie': Denys l'Aréopagite, La hiérarchie céleste. Introduction par René Roques, étude et texte critique par Gunther Heil, traduction et notes par Maurice de Gandillac (Sources Chrétiennes 58 bis), ²Paris 1970.

Die lateinischen Übersetzungen des Mittelalters besorgten Hilduin von Saint-Denis, Johannes Scotus Eriugena, Johannes Sarracenus und Robert Grosseteste (über sie sieh Kap. IV). Diese und spätere Übertragungen in Synopse mit dem griechischen Text bei Philippe Chevallier, Dionysiaca I/II. Recueil donnant l'ensemble des traductions latines des ouvrages attribué au Denys de l'Aréopag, Brügge–Paris 1937/1950.

Übersetzungen in moderne Sprachen:

Deutsch: Bibliothek der Kirchenväter: Joseph Stiglmayr: Die beiden Hierarchien (gekürzt), Kempten–München 1911; Die göttlichen Namen, München 1933. – Walter Tritsch, Dionysius Areopagita: Die Hierarchien der Engel und der Kirche. Mystische Theologie und andere Schriften (Weisheitsbücher der Menschheit), 2 Bde., München–Planegg 1955/1956. – Endre von Ivánka, Dionysius Areopagita: Von den Namen zum Unnennbaren (Sigillum 7), Einsiedeln o. J.
Französisch: Maurice de Gandillac, Œuvres complètes du Pseudo-Denys l'Aréopagite (Bibliothèque Philosophique), Paris 1943 [mit einer wertvollen Introduction, S. 7–64].
Englisch: J. Parker, The Works of Dionysius the Areopagite, now first translated, London–Oxford 1897.
Italienisch: P. Scazzoso/E. Bellini, Dionigi Areopagita. Tutte le opere, Mailand 1981.
Weitere Ausgaben und Übertragungen: DAM 3 (1957) 263f.

Hilfsmittel:

Balthasaris Corderii Onomasticum Dionysianum [griech. Begriffe]: PG 3, Sp. 1133–1176. – Nomenclature des formes les plus intéressantes des traductions latines: Dionysiaca (s. o.) I, S. CXIX–CLXVII, II, S. CLXIX–CCXLIX; Index complète de la langue grecque du Pseudo-Aréopagite, Dionysiaca II, S. 1585–1656. – A. van den Daele, Indices Pseudo-Dionysiani (Recueil de travaux d'histoire et de philologie 3ᵐᵉ série, 3ᵐᵉ fasc.), Louvain 1941 [Index verborum, nominum, locorum].
Grundlegender Lexikonartikel: DAM III (1957) 244–428 (René Roques/André Rayez); ergänzend: DAM II (1953) 1885–1911 ‚Contemplation, extase et ténèbre chez le Pseudo-Denys' (René Roques).
Die einzelnen Werke werden wie üblich mit ihren abendländisch-lateinischen Titeln zitiert:
CH: De cælesti hierarchia
EH: De ecclesiastica hierarchia
DN: De divinis nominibus
MTh: De mystica theologia
Ep I–X: Epistolae
Die Kapitelzahl steht in römischen, die Abschnittzahl in arabischen Ziffern.
Das Gesamtwerk, Corpus Dionysiacum, wird mit CD abgekürzt.
Außerdem verwende ich folgende Abkürzungen:
DAM: Dictionnaire de spiritualité ascétique et mystique, Paris 1937ff.

Meister Eckhart, LW: Die lateinischen Werke, hg. von Joseph Koch u. a., Stuttgart–Berlin 1936 ff.

Meister Eckhart, DW: Die deutschen Werke, hg. von Josef Quint, Stuttgart 1936–1976.

PG: Patrologiae cursus completus . . . Series graeca acc. J.-P. Migne.

PL: dass. . . . Series latina acc. J.-P. Migne.

I. Der Autor und die dionysische Frage

Literatur:

Franz Hipler, Dionysius, der Areopagite. Untersuchungen über Aechtheit und Glaubwürdigkeit der unter diesem Namen vorhandenen Schriften, Regensburg 1861.

Joseph Langen, Die Schule des Hierotheus, Revue Internationale de Théologie 1 (1893) 590–609; 2 (1894) 28–46.

Otto Bardenhewer, Geschichte der altkirchlichen Literatur IV, Freiburg i. Br. 1924, S. 280–300.

Joseph Stiglmayr, Dionysius Areopagita und Severus von Antiochien, Scholastik 3 (1928) 1–27; 161–189.

ders., Um eine Ehrenrettung des Severus von Antiochien, Scholastik 7 (1932) 52–67.

Jean Lebon, Le pseudo-Denys l'Aréopagite et Sévère d'Antioche, Revue' d'Histoire Ecclésiastique 26 (1930) 880–915.

ders., Encore le pseudo-Denys l'Aréopagite et Sévère d'Antioche, ebd. 28 (1932) 296–313.

Ceslas Pera, Denys le mystique et la θεομαχία, Revue des sciences philosophiques et théologiques 25 (1936) 5–75.

Eugenio Corsini, La questione areopagitica. Contributi alla cronologia dello Pseudo-Dionigi, in: Atti della Accademia delle Scienze di Torino, II. Classe di Scienze Morali, Storiche e Filologiche, vol. 93 (1958/59), Torino 1959, p. 128–227.

Rudolf (Utto) Riedinger, Pseudo-Dionysius Areopagites, Pseudo-Kaisarios und die Akoimeten, Byzant. Zs. 52 (1959) 276–296.

ders., Petros der Walker von Antiocheia als Verfasser der pseudo-dionysischen Schriften, Salzburger Jb. f. Philos. 5/6 (1961/62) (Fschr. f. Albert Auer OSB), S. 135–156.

ders., Der Verfasser der pseudo-dionysischen Schriften, Zs. f. Kirchengesch. 54 (1964) 146–152.

Piero Scazzoso, Considerazioni metodologiche sulla ricerca pseudo-Dionysiana a proposito della recente identificazione della pseudo-Dionigi con Pietro il Fullone da parte di Utto Riedinger, Aevum 34 (1960) 139–147.

Urs von Balthasar, Herrlichkeit. Eine theologische Ästhetik. 2. Bd. Fächer der Stile, Einsiedeln 1962, S. 147–214.

1.

Erstmals werden die dionysischen Schriften im Glaubensgespräch von Konstantinopel 533 genannt, und zwar, wie es scheint, als Schützenhilfe der gemäßigten Verfechter der Einnaturenlehre (Monophysitismus) im Sinne des Severus von Antiochien, vielleicht von diesem selbst ins Gespräch gebracht[1]. Man darf annehmen, daß zu dieser Zeit der Verfasser nicht mehr lebte. Für dessen Anfänge gilt 476 als Leitdatum: In diesem Jahr führte Petrus Fullo(n) (der Walker) den Credo-Gesang in der Meßliturgie ein, den eine Stelle in c. III der EH (425 C) vorauszusetzen scheint. Ist die EH, wie mit guten Gründen dargetan wurde, die letzte Schrift des Dionysius, so darf der Anfang seines literarischen Schaffens noch vor 476 angenommen werden. Auch der Tod des Proklos i. J. 485 ist kein terminus a quo. Es sind zu allen Zeiten lebende Autoren literarisch ausgewertet worden; im Mittelalter galt nur die merkwürdige Regel, sie in diesem Falle nicht zu nennen. Proklos' Schrift ‚De malorum subsistentia‘, die vor 440 datiert wird, bestimmt indes die frühestmögliche Datierung von DN, das mutmaßlich erste der vier Hauptwerke[2]. Aber so

---

[1] Dieses Datum kann durch einen Brief des Severus von Antiochien an Johannes Higoumenos (Vorsteher), in dem aus dionysischen Schriften zitiert wird, nicht ernsthaft zurückgenommen werden: er wird auf 510 oder 532 datiert (s. DAM III 249).

[2] Damit setze ich voraus, daß Dionysius Proklos' Werk gekannt hat, zunächst, wie H. Koch und J. Stiglmayr gleichzeitig nachgewiesen haben, die nur lateinisch überlieferte Schrift ‚De malorum subsistentia‘, die DN IV 18–35 referiert wird, aber auch andere und spezifischere proklische Vorstellungen und Begriffe. Der Versuch, Proklos auszuschalten, um damit die Dionysischen Schriften ein Jahrhundert früher, wo sie angeblich theologisch und kirchenpolitisch besser angesiedelt seien als vor 500, ansetzen zu können, bleibt trotz kluger Darlegungen ein aussichtsloses Unterfangen (s. DAM III 252 f.). Nicht zu übersehen ist freilich die frappante stilistische Sonderstellung von IV 18–35 über das Übel, eindrucksvoll zuletzt aufgezeigt von Piero Scazzoso, Ricerche sulla struttura del linguaggio dello Pseudo-Dionigi Areopagita (Pubblicazioni dell' Università Cattolica del Sacro Cuore. Contributi III. Scienze filologiche e letteratura 14), Milano 1967, S. 77–79. Doch hängt der Proklismus, wie besonders E. Corsini, Il trattato ‚De divinis nominibus‘ dello Pseudo-Dionigi e i commenti neoplatonici al Parmenide (Torino 1962), darzutun vermochte, keineswegs an diesem Paradebeispiel der Proklos-Rezeption. – Das Henotikon (Einigungsformel) des Kaisers Zenon i. J. 482 ist nur ein Datum für die Dionysius-Chronologie, wenn man diesen mit Severus von Antiochien gleichsetzt (s. u.).

weit wird man im Hinblick auf eine wahrscheinliche EH-Datierung
(nach 476) nicht zurückgehen wollen. Die 2. Jahrhunderthälfte darf
als der weiteste Zeitraum für die Schaffenszeit des Dionysius gelten,
das letzte Drittel als der wahrscheinlichste.

Unter den zahlreichen Versuchen einer Identifizierung erfreute sich diejenige von
Joseph Stiglmayr, der in Dionysius den Patriarchen von Antiochien (512–518), Severus, Haupt der gemäßigten Monophysiten, zu erblicken glaubte, einer breiteren Zu-
stimmung – obschon sie Lebon in einer sachlich und methodisch glänzenden Abhandlung stringent widerlegt hat[3].

Die von Stiglmayr nachgewiesene gemeinsame Doktrin, eine Christologie, die, um
vorsichtig zu formulieren, die Einnaturenlehre nicht ausschließt (Ep. IV), eine apart
formulierte Lehre vom Ausgang des Hl. Geistes neben allgemeinen Berührungen, die
nichts beweisen können, betrifft nur einen kleinen Bruchteil des dionysischen Corpus
und läßt die Hauptmasse der Schriften und mit ihr den neuplatonischen Einschlag
völlig außer acht. Daß Severus dem Neuplatonismus wie der Mystik fernsteht, ist
unbestreitbar. Was aber bedeuten Gemeinsamkeiten, wenn wahrscheinlich zu machen
ist, daß Severus das CD gekannt hat[4]?

Was die Übereinstimmungen in biographischen Daten betrifft, so wird da unab-
wendbar auf Sand gebaut, weil es nur eine Lebensgeschichte des Severus, keine des
Dionysius gibt. Diese besteht allenfalls aus wenigen persönlichen Anspielungen im
Werk, die immer erst zu ‚sprechen‘ beginnen, wenn man sie auf konkrete Daten einer
historischen Persönlichkeit bezieht. So geht es dem Leser mit den Gleichungen Hierotheus – Evagrius und Timotheus – Petrus von Cäsarea[5]. Denkt man sich die Bezugs-
person weg, bleiben sie völlig unverbindlich. Vor allem aber setzt die Identifizierung
des Verfassers der Dionysiaca mit Severus ein Charakterbild voraus („rücksichtslose
Härte und listige Verschlagenheit"[6]), das demjenigen, das die dionysischen Schriften
mit ihrem moralischen Tenor und religiösen Ernst vermitteln, völlig widerspricht.
Auch ist die sehr gezielte „Fälschung", wie sie Stiglmayr sieht, unvereinbar mit den
theologischen und spirituellen Zielen des Autors Dionysius.

---

[3] J. Stiglmayr 1928, Lebon 1930; die schwächliche Entgegnung Stiglmayrs (1932)
widerlegte Lebon (1932) in schnellem Gegenzug.

[4] Sieh die drei Dionysius-Zitate, die Stiglmayr (1928), S. 175–178 bespricht (kritisch
dazu Lebon [1930], S. 892 ff.). Nach Stiglmayr hat Severus damit „die eigene Fälschung literarisch ausgespielt" (S. 178). Naheliegender bleibt, daß Severus die Dionysischen Schriften entdeckt und, wohl als erster, propagiert hat. Das bezeugt sein
Freund und Biograph Zacharias (Stiglmayr S. 25) und bestätigt der – mißlungene –
Versuch des Severus oder seiner Anhänger, Dionysius als theologische Autorität der
Apostelzeit auf dem konstantinopolitanischen Religionsgespräch i. J. 533 zur Geltung
zu bringen.

[5] Stiglmayr (1928), S. 11–13; dazu Lebon (1930), S. 903. – Dasselbe gilt von der
Gleichung Hierotheus = Basilius der Große durch Pera, S. 75.

[6] Stiglmayr (1928), S. 4.

Der jüngste Versuch einer Identifizierung mit einer historischen Persönlichkeit, von Rudolf Riedinger, knüpft an eine Zuschreibung des frühen 18. Jahrhunderts an: durch Michael Lequien (1712)[7]. Darnach ist Dionysius jener Petrus Fullo(n)[8], den wir bereits als Erneuerer der Liturgie namhaft machten. Er war, wie Severus, Patriarch von Antiochien, mehrmals, aber immer nur für kurze Zeit, 471, 476–477, 485–488, weil er zweimal vertrieben wurde und wieder zurückkehrte. Diese Daten und sein Todesjahr 488 passen zur Zeitspanne, die wir oben für die Entstehung der dionysischen Schriften wahrscheinlich gemacht haben, sowie zum Umstand, daß Severus, ein Nachfolger im Amt, diese Schriften kennenlernte und bekanntmachte.

Riedinger stellt als bewiesen hin (1958, S. 291 ff.), daß Petrus der Walker Schüler des Proklos gewesen ist. Genau das wäre der springende Punkt der These. Es ist indes ein erschlossenes Lebensdatum, in keiner Quelle ist davon die Rede. Wieder einmal mehr suggeriert eine Gleichsetzung Vorstellungen, die die dionysischen Schriften als solche nicht im geringsten nahelegen. Auch das Persönlichkeitsbild, ähnlich wie bei Severus, scheint unvereinbar mit dem Verfasser des dionysischen Corpus[9].

2.

Seit Beginn des wissenschaftlichen Zeitalters stehen wir literarischen Fälschungen und Maskeraden verständnislos gegenüber, und mit dem Verdikt des Autors geht Hand in Hand die Abwertung des Werks. Ein lehrreiches Beispiel in der Geschichte der deutschen Literatur des Mittelalters ist die Abqualifizierung des ‚Jüngeren Titurel‘, nachdem sich die Verfasserschaft Wolframs von Eschenbach als fingierte herausgestellt hat[10]; erst in den letzten Jahrzehnten hat sich eine Interpretation durchgesetzt, die der Verfasserschaftsfrage keine Kompetenz bei der Analyse und Wertung des Werks mehr zuerkennt. Entsprechend liegen die Dinge bei Dionysius Areopagita. Abgesehen von einer spirituellen Tradition mit mystisch-aszetischen Interessen, die den seit den Tagen des Lorenzo Valla im 15. Jahrhun-

---

[7] In den Prolegomena seiner Johannes-Damascenus-Ausgabe, MG 94, Sp. 299–301.

[8] Über ihn außer Riedinger: Dictionnaire de Théol. cath. XII (1935) 1933–1935; DAM XII (1985) 1588–1590.

[9] Die Gegner nennen ihn ,,ehrgeizig'', ,,intrigant'', ,,unbeständig'' (DAM XII 1590). Riedinger selbst vermittelt kein günstiges Bild: s. Petros der Walker, S. 154 f.

[10] Sieh vor allem Karl Lachmanns Urteil, Kleinere Schriften I, S. 353 f., und Werner Schröder, Wolfram-Nachfolge im ‚Jüngeren Titurel‘. Devotion oder Arroganz, Frankfurt a. Main 1982. – Im Umkreis der deutschsprachigen Mystik kann an die Gottesfreund-im-Oberland-Fiktion Rulmann Merswins erinnert werden. Doch spielt hier das Problem der Wertung keine Rolle.

dert bekannten neuen wissenschaftlichen Befund einfach übersah,
z. T. auch schlichtweg bestritt, indem man das Abhängigkeitsver-
hältnis Proklos – Dionysius umkehrte, hat die Wissenschaft den Autor nicht nur als ,,Fälscher'' moralisch stigmatisiert, sondern auch
sein Werk theologisch, spirituell und formal abgewertet. Entschieden, wenn auch nicht immer expressis verbis, wird die Meinung
vertreten, der geborgte Nimbus des Apostelschülers allein hätte dem
Dionysius zu Ruhm und Nachfolge verholfen. Das klingt heute noch
nach, obschon seit der Jahrhundertmitte sich schrittweise eine unbe-
fangenere Betrachtungsweise Geltung verschafft hat.

Man muß immerhin noch heute der Vorstellung entgegentreten,
Dionysius hätte seine Mystifikation als Aposteljünger mit Konstanz
und unentwegter Vorsätzlichkeit betrieben[11]. Zwar sind alle Traktate
an Timotheus gerichtet, den er unmittelbar anspricht, mit ,,Du'',
selten mit Namen (DN I 8; MTh I 1), auch gelegentlich mit
,,Freund'' (DN I 1; EH, Epilog) oder ,,Sohn'' (CH II 5), einmal,
überraschenderweise, als ,,Kind'' (EH, Epilog). Der Autor meint
mit dem Adressaten sicher den Mitarbeiter und ,,Sohn im Glauben''
(1. Tim. 1,2) des Apostels Paulus, der zwei Briefe an ihn gerichtet
hat, er sagt es aber ausdrücklich nirgendwo, so wenig er sich als den
zum Christentum bekehrten Athener Ratsherrn ausgibt. Dionysius
,,Areopagita'' vermitteln einzig die Titel der überlieferten Schriften,
die der Verfasser sicher nicht zu verantworten hat; in den Widmun-
gen (CH, EH, DN) nennt er sich unverfänglich ,,Dionysius Presby-
ter''. Aber auch in den Texten selbst ist die Paulus-Zeit kaum verge-
genwärtigt. Von den Nennungen des Apostels in DN II 11; III 2;
IV 13; VIII 6 sind die zwei letztgenannten schlichte Zitate aus den
Briefen, EH II 1 wird Paulus ,,mein gepriesener geistlicher Führer''
genannt, DN II 11 rühmt der Verfasser Paulus als ,,Kenner der göttlichen Wirklichkeit'' und ,,Licht der Welt'', dazu als den gemeinsa-
men ,,Lehrer'' von Hierotheus und ihm selbst (677 A). Bedenkt man,

---

[11] Sehr energisch widersprach diesem Vorurteil bereits Hipler, wie schon der Un-
tertitel verrät: s. bes. S. 11 ff., 107 ff.; s. auch von Balthasar, S. 151 ff. Nicht zu folgen
vermag ich freilich seiner Ansicht, die Areopagiten-Rolle diene ,,der spezifisch dionysischen Demut und Mystik, die als Person völlig verschwinden muß und will, um rein
als göttlicher Auftrag, dort aber mit aller Kraft, zu leben, die Person (wie in den
dionysischen Hierarchien) schlechterdings in der Taxis und Funktion aufgehen zu
lassen . . .''. Diesem Ziel dient die Anonymität, nicht die Maske eines andern.

daß man einen Apostel immer als διδάσκαλος ansprechen kann und
Hierotheus (von dem gleich die Rede sein wird) kein bezeugter Apostelschüler ist, so hat auch diese Stelle nicht als eigentlicher Fiktions-
beweis zu gelten. Eben dies gilt für DN VII 1 und geht aus DN III 2
hervor. Unverfänglich ist auch die Nennung des ,,heiligen Justus'',
des Barnabas der Apostelgeschichte (DN XI 1).
Alle diese Zitate können nicht als Vortäuschung apostolischer Zeit-
genossenschaft in Anspruch genommen werden. Das gilt erst von
der Schilderung einer Versammlung DN III 2, an der er und Hierotheus teilgenommen hätten. ,,Unter den Anwesenden befanden sich
auch Jakobus, der Bruder des Herrn, und Petrus'' (681 D). DN VI 2
wird mit einiger Wahrscheinlichkeit Simon (Magus) aus Apostelgeschichte 8,9 ff., vor dem gewarnt wird, wie ein Zeitgenosse genannt.
Aber das ist schon alles (läßt man die Briefe, die besonders betrachtet
werden müssen, außer Sicht) und in einer einzigen Schrift. Da DN
als erstes Werk des dionysischen Schriftenbündels gilt, drängt sich
der Gedanke auf, der Verfasser hätte zunächst mit der Maske des
Aposteljüngers gespielt, sie jedoch später fallengelassen.

Die Autormaske lag besonders nahe, wenn er Dionysius geheißen hat. Muß schon
der Name zur Fiktion gehören? Selten war er keineswegs. Nur schon das kleine
,Tusculum Lexikon' nennt außer dem Areopagiten fünf Schriftsteller dieses Namens
in den ersten Jahrhunderten der christlichen Zeitrechnung. Auch ein Christ ist dabei,
Dionysius Exiguus, unserm Dionysius zeitnah. Dazu kommt ein Schüler des Origenes
und schließlich der Märtyrer von Paris, der später mit dem Areopagiten verselbigt
wurde (s. u. S. 53 ff.). Ich sehe so, namentlich wenn Dionysius ein zum Christentum
bekehrter Grieche gewesen sein sollte, keinen Grund, ihm seinen Namen abzuspre-
chen.

Dieses Bild, das die eigentliche Fiktion des Apostelschülers auf
wenige Fakten reduziert, verschiebt sich etwas, wenn man auch die
Briefe heranzieht. Sie geben sich in viel deutlicherer Weise als
Schriftstücke der Apostelzeit aus als die Traktate. In Ep VII 2 berichtet der Autor ausführlich, er hätte gemeinsam mit dem Adressaten,
dem Sophisten Apollophanes, in Heliopolis die bei Christi Tod er-
folgte Sonnenfinsternis beobachtet (1081 A/B). Nach Ep VIII 6 ist er
in Kreta gastfreundlich von Karpos (1. Tim. 4,13) aufgenommen
worden, von dem er eine merkwürdige Geschichte zu erzählen weiß
(1097 B–1100 D). Brief IX richtet sich an Titus, den Aposteljünger,
Brief X an den Evangelisten Johannes auf Patmos, bezieht sich somit

auf die Jahre 81–96; er wäre also 50–60 Jahre nach der Beobachtung
der Sonnenfinsternis verfaßt worden.

Wünschenswert wären genauere Untersuchungen über die Echtheit der Briefe.
Stammen sie alle aus der Feder des Verfassers der dionysischen Traktate? Einzelne und
gewisse Partien aus ihnen, und gerade die oben erwähnten, sind wiederholt und aus
beachtlichen Gründen in ihrer Authentizität bezweifelt, d. h. als nachträglich dem
Corpus inserierte Textstücke zwecks Sicherung der apostolischen Autorität verdächtigt worden. Sollte sich dieser Verdacht bestätigen und die Zeugnisse der Briefe ent-
kräften, so beruhte die Fiktion des Dionysius in der Tat auf ganz wenigen Textstellen.
So betrachtet hätte es beträchtlicher Nachhilfen bedurft, um den Autor als Aposteljünger auszugeben. Den Severianern gelang das jedenfalls 533 noch nicht. Wem ist der
Durchbruch zu verdanken? Wohl Johannes von Scythopolis, dessen Scholien zum CD
später Maximus Confessor aufgegriffen hat (sieh unten S. 51 f.).

Es verdient auch vermerkt zu werden, daß Dionysius kaum etwas
getan hat, um nicht als Theologe seiner Zeit erkannt zu werden.
Allenfalls ist es das Nichtnennen von Kirchenvätern, in deren Tradition er steht, des Clemens von Alexandrien, Gregors von Nazianz,
Gregors von Nyssa. Aber er verwendet sie unbefangen wie den Neuplatoniker Proklos.

Als interessantestes Element der Fiktion empfinde ich die nicht
biblische Gestalt des Hierotheos, den Dionysius überschwenglich,
weit über das Paulus-Lob hinaus, als seinen Lehrer und bewunderns-
werte Persönlichkeit preist und aus dessen Schriften er längere Stücke
zitiert: DN II 10; IV 15–17. Die letztgenannte Partie stammt aus den
‚Erotischen Hymnen‘, Ἐρωτικοὶ ὕμνοι, DN II 10 aus den ‚Theologischen Grundlagen‘, Θεολογικαὶ στοιχειώσεις (DN II 9), die als be-
kannte Schriften ausgegeben werden (648 A). Es gibt indes von einem solchem Werk wie vom Autor selbst nicht die geringste Spur[12].

---

[12] Die Identifizierung mit dem vom Mönch Stephan Bar Sudaili anonym um 530
veröffentlichten Traktat in syrischer Sprache ‚Das Buch des heiligen Hierotheus über
die verborgenen Geheimnisse der Gottheit‘, überliefert in einer Handschrift der Brit.
Libr. in London (noch ungedruckt, untersucht von A. L. Frothingham jr., Stephen
Bar Sudaili, the Syrian Mystic and the Book of Hierotheos, London 1866), scheitert
aus chronologischen und doktrinalen Gründen; s. dazu DAM III 251 f.; engl. Übersetzung von F. S. Marsh: The Book which is called The Book of the Holy Hierotheos,
London–Oxford 1927. – Demgegenüber möchte man der schlichten Feststellung von
Balthasars, Hierotheus sei „ohne Zweifel ein lebendiger Mensch gewesen; vielleicht
der Mann, bei dem er vom Neuplatonismus zum Christentum konvertiert hat, vielleicht der Abt seines Klosters" (S. 153), spontan beipflichten – wenn nicht die ihm von
Dionysius zugeschriebenen und ausführlich zitierten Schriften offensichtlich fiktiven

Wenn irgendwo, so ist hier die Mystifikation des Autors der Dionysischen Schriften mit Händen zu greifen. Die ‚Theologischen Grundlagen' weisen mit Entschiedenheit auf Proklos hin, dessen Haupt-
werk sich gerade nur durch die Einzahl von jenen ‚Grundlagen' unterscheidet. In Hierotheus wird also Proklos gefeiert. Trotzdem ist
keine Gleichung herzustellen: Hierotheus ist Christ und wie Dionysius Schüler des Paulus. Er lehrt auch keineswegs, aus den Zitaten zu
schließen, etwas anderes als Dionysius. Dieser aber gibt vor, ein
Werk mit ähnlichem Titel geschrieben zu haben (DN I 1, 585 A
u. ö.), die ‚Theologischen Grundlinien', Θεολογικαὶ ὑποτυπώσεις.
Weiterhin schreibt der zitierte Hierotheus dieselbe, nun wirklich als
stylus obscurus (Thomas von Aquin) unverwechselbare Handschrift
wie Dionysius.

Es ist so die These zu wagen, daß Hierotheus nichts anderes ist als
das zweite Ich des Dionysius: ein christlicher, von Proklos inspirier-
ter Neuplatoniker[13].

3.

Man darf das Schriftenbündel des Dionysius nicht nur als ‚Corpus', sondern auch als eine ‚Summa' ansprechen, eine Ganzheit also,
jedenfalls im Sinne des Autors, dessen Gesamtkonzeption hinrei-
chend verdeutlicht wird. ‚De caelesti hierarchia' handelt von der
Ordnung der Engelwelt, der Geistsphäre in ihrer triadischen Struk-
tur, ‚De ecclesiastica hierarchia' von den durch die Kirche zu verwal-
tenden Heilsgütern; ‚De divinis nominibus' ist eine Gotteslehre auf
Grund der dem höchsten Wesen zugeschriebenen Namen, ‚De mystica theologia' eine Vervollkommnungslehre. Die Briefe bieten dazu
Ergänzungen und konzentrierte Zusammenfassungen.

Die wahrscheinliche chronologische Reihung ergibt sich auf Grund
von Rückverweisen des Autors: DN, MTh, CH, EH.

Charakter trügen, was freilich von Balthasar (konsequenterweise) an späterer Stelle
bestritten (S. 159f.).

[13] Sieh weiter kritisch zur Hierotheus-Frage: Irénée Hausherr, L'influence du Livre
de Saint Hiérothée, in: I. H., De doctrina spirituali Christianorum orientalium. Quae-
stiones et scripta IV (Orientalia Christiana 30/3, Nr. 86), Roma 1933, S. 176–211.

Dionysius nennt weitere Schriften aus seiner Feder: Die (bereits genannten) ‚Theologischen Grundlinien', Αἱ θεολογικαὶ ὑποτυπώσεις, will er unmittelbar vor den DN
verfaßt haben (I 1, 585 A; dazu Verweise in DN I 5, II 1, II 3, II 7, XI 5; MTh III 1), die
‚Symbolische Theologie', Ἡ συμβολικὴ θεολογία, nach ihnen (DN XIII 4, 984 A;
dazu DN I 8, IX 5); DN IX 5, 700 C, spricht er jedoch von letzterer als einem bereits
bestehenden Werk, ebenso Ep IX 1, 1104 B, CH XV 6, 336 A, und MTh III, 1033 A.
Die letzten beiden Belege sind die Hauptzeugen für den chronologischen Ansatz von
MTh und CH. – Vier weitere Schriften, nur einmal, in einem Fall zweimal zitiert,
dürfen unerwähnt bleiben[14].

Die ‚Theologischen Grundlinien' wie die ‚Symbolische Theologie' werden so häu-
fig und präzis genannt und zitiert, daß es schwer fällt, sie als fingierte Schriften zu
betrachten. Auch ist ganz und gar nicht zu erkennen, warum der Autor sich nie
geschriebene Werke hätte zuschreiben sollen. Andrerseits haben sie in der ‚Summa'
des überlieferten Corpus keinen eigentlichen Standort. Eine „symbolische" Theologie
ist die dionysische Theologie als kataphatische, und die ‚Theologischen Grundlinien'
fügen sich nach dem, was der Verfasser darüber sagt (s. besonders MTh III, 1032 D/
1033 A), in den Rahmen der DN. Noch schwerer ins Gewicht fällt, daß keine Spur
dieser Werke erhalten geblieben ist, obschon man sicher eifrig nach ihnen gefahndet
hat. So fällt ein Entscheid in der Frage „verloren oder fingiert?" schwer. Wir können
sie hier offen halten.

Für das Thema, dem wir hauptsächlich unsere Beachtung schenken
wollen, dasjenige der mystischen Theologie und Spiritualität, stehen
MTh und DN im Vordergrund. Aber die beiden ‚Hierarchien' sind
keineswegs auszuschalten, sind doch Begriff und Zweck der Hierarchie, wie sie sich Dionysius denkt, unmittelbar mit der mystischen
Vervollkommnungslehre verbunden.

Abschließend zur dionysischen Frage, die die Frage nach dem Autor der Dionysischen Schriften und dessen so erfolgreicher Mystifikation ist, drängt sich die Frage nach dem Grund dieser Verhüllung
auf. Warum ist Dionysius nicht wie andere Theologen mit seinen
Schriften vor die Öffentlichkeit getreten? Mit Überzeugung möchte
ich festhalten – sog. Beweise gibt es in derartigen Fragen ja nicht –:
Nicht um sich als Aposteljünger einen besonderen Nimbus zu ver-
schaffen und damit einen Erfolg zu erzielen, den er als schlichter
Autor des ausgehenden 5. Jahrhunderts nicht glaubte erwarten zu
können. Maske ist ja für einen Schriftsteller auch Verlust, Verzicht
auf persönlichen Erfolg. Dionysius muß zwingende Gründe zur Tar-
nung gehabt haben. Aber es kann nur Mutmaßungen über sie geben,
Mutmaßungen am ehesten im Rahmen dessen, wie das dionysische

---

[14] Über sie DAM III 261 f.; von Balthasar, S. 160–165.

Corpus in seiner Zeit steht. Der Versuch, neuplatonische Vorstellungen mit Hilfe der alexandrinischen und kappadozischen Väter[15] dem Christentum zu integrieren, dieses mit neuplatonischer Begrifflichkeit auch theologisch formulierbarer zu machen, war nun doch, jedenfalls in der unbeirrbaren Entschiedenheit des dionysischen Zugriffs und seiner Diktion, ein Novum, das die Zurückhaltung des Autors verständlich macht. Die Zeit bestätigte sie ja auch, indem Dionysius, 533 beim Religionsgespräch von Konstantinopel ins Spiel gebracht, entschieden abgelehnt wurde. Dem leitenden Bischof Hypatius von Ephesus war offensichtlich nicht nur suspekt, daß dieser Zeuge der apostolischen Zeit jahrhundertelang völlig unbekannt geblieben ist, suspekt waren auch die Schriften selbst, deren neuplatonische Elemente einem gebildeten Manne nicht verborgen bleiben konnten.

Vielleicht aber, und diese Vorstellung überzeugt mich am meisten, wollte Dionysius aus ganz persönlichen Gründen im Verborgenen bleiben, als Zönobit[16] oder gar als Anachoret. Er scheint mir vor allem kein Mächtiger der kirchlichen Hierarchie gewesen zu sein[17].

---

[15] Das hat besonders Walther Völker, Kontemplation und Ekstase, Wiesbaden 1958, herausgestellt.

[16] Dem widerspricht nun doch nicht der von Dionysius vermerkte Umstand, daß den Mönchen keine Gewalt zukäme, ,,andere zu führen" (EH VI 1), während gerade die mystagogische Absicht seiner Schriften offensichtlich ist. Diese kann sich in der Form der Schriftlichkeit so stark entwickelt haben, weil sie ihm in der Praxis versagt war. – An EH VI 1 erinnert auch von Balthasar (S. 181 u. Anm. 108), der die Stelle als Ausdruck der Demut des Mönchs Dionysius versteht.

[17] Sollte aus diesem Grunde eine Identifizierung nicht gelingen? Im übrigen hat C. Pera schon recht, wenn er meint und nachzuweisen versucht, daß das dionysische Corpus am besten in das ,,gelehrte Milieu von Kleinasien in der 2. Hälfte des 4. Jahrhunderts" passe (S. 73), aber die Nähe zu den kappadozischen Vätern schließt eine spätere Rezeption nicht aus, und gerade die mangelnde Verwurzelung des Dionysius in seiner Zeit spricht gegen die Identifizierung mit einem hochgestellten Kirchenmann.

II. Die Gotteserkenntnis

Literatur:

Joseph Stiglmayr S. J., Der Neuplatoniker Proclus als Vorlage des sogen. Dionysius Areopagita in der Lehre vom Übel, Hist. Jb. d. Görres-Ges. 16 (1895) 253–273; 721–748.

ders., Aszese und Mystik des sog. Dionysius Areopagita, Scholastik 2 (1927) 161–207.

Hugo Koch, Proklos als Quelle des Pseudo-Dionysius Areopagita in der Lehre vom Bösen, Philologus 54 (1895) 438–454.

ders., Pseudo-Dionysius Areopagita in seinen Beziehungen zum Neuplatonismus und Mysterienwesen (Forschungen z. Christl. Lit.- u. Dogmengesch. I 2,3), Mainz 1900.

Victor Lossky C. Ph., La notion des ,,Analogies" chez Denys le Pseudo-Aréopagite, Archives d'histoire doctrinale et littéraire du moyen-âge 5 (1930) 279–309.

Albert Schweitzer, Die Mystik des Apostels Paulus, Tübingen 1930.

H.-Ch. Puech, La ténèbre mystique chez le Pseudo-Denys l'Aréopagite et dans la tradition patristique, Études Carmélitaines 23/II (1938) 33–53.

Endre von Ivánka, Der Aufbau der Schrift ,De divinis nominibus' des Pseudo-Dionysios, Scholastik 15 (1940) 386–399.

ders., La signification historique du ,Corpus areopagiticum', Recherches de Science religieuse 36 (1949) 5–24.

ders., ,,Teilhaben', ,Hervorgang' und ,Hierarchie' bei Pseudo-Dionysios und bei Proklos (Der ,,Neuplatonismus" des Pseudo-Dionysios), in: Actes du XIème Congrès Internationale de Philosophie Bruxelles, 20–26 août 1953, vol. XI: Philosophie de la Religion, S. 153–158 [Kurzfassung des franz. Beitrags von 1949].

Ceslas Pera O. P., ,La Teologia del Silenzio' di Dionigi il Mistico, Vita Christiana 15 (1943) 267–276, 361–370.

Walther Völker, Kontemplation und Ekstase bei Pseudo-Dionysius Areopagita, Wiesbaden 1958.

J. Vanneste, S. J., Le mystère de Dieu. Essai sur la structure rationnelle de la doctrine mystique du pseudo-Denys l'Aréopagite (Museum Lessianum, sect. philos. 45), Mecheln 1959.

Eugenio Corsini, Il trattato ,De divinis nominibus' dello Pseudo-Dionigi e i commenti neoplatonici al Parmenide (Università di Torino. Pubblicazioni della Facoltà di lettere e filosofia 4), Torino 1962.

Piero Scazzoso, Ricerche sulla struttura del linguaggio dello Pseudo-Dionigi Areopagita (Pubblicazioni dell' Università Cattolica del Sacro Cuore. Contributi, ser. III. Scienze Filologiche e Letteratura 14), Mailand 1967.

Hella Theill-Wunder, Die archaische Verborgenheit. Die philosophischen Wurzeln der negativen Theologie (Humanistische Bibl. Abhandlungen u. Texte I, Bd. 8), München 1970.

Bernhard Brons, Gott und die Seienden. Untersuchungen zum Verhältnis von neu-platonischer Metaphysik und christlicher Tradition bei Dionysius Areopagita, Göttingen 1976.

Friedrich Normann, Teilhabe – ein Schlüsselwort der Vätertheologie (Münstersche Beiträge zur Theologie 42), Münster 1978.

Werner Beierwaltes, Proklos. Grundzüge seiner Metaphysik (Philosophische Abhandlungen 24), ²Frankfurt a. M. 1979.

ders., Denken des Einen. Studien zur neuplatonischen Philosophie und ihrer Wirkungsgeschichte, Frankfurt a. M. 1985.

Andrew Louth, The Origins of the Christian Mystical Tradition from Plato to Denys, Oxford 1981.

René Roques, L'univers dionysien. structure hiérarchique du monde selon le Pseu-do-Denys (Les éditions du Cerf), ²Paris 1983.

1. Positive und negative Theologie

Bei einer Darstellung des Dionysius als ,,Vater der abendländischen Mystik" sind alle vier Traktate heranzuziehen, nicht nur DN und MTh, sondern auch beide Hierarchien, zwar nicht mit ihrem speziellen Inhalt, der symbolischen Erklärung der Engelchöre und der Sakramente, aber das Prinzip der Hierarchie, die nicht nur ein theologisches Ordnungssystem, sondern ein spirituelles Modell der Vervollkommnung mit dem Ziel des ,,Ähnlich- und Einswerdens" mit Gott darstellt.

Die Einheit von Theologie und Spiritualität gilt für das ganze Werk des Areopagiten. Theologie, erklärende Handreichung der geoffenbarten göttlichen Wahrheit, steht im Dienst religiöser ,Praxis', will Heil und Vervollkommnung des Menschen bewirken. Das läßt sich schon vom Formalen her aussagen. Zu Beginn der CH und MTh steht je eine Anrufung (ἐπικαλεῖν), und die Mitteilung der göttlichen Wahrheit ist immer wieder ein ,,Feiern", ,,Preisen" (ὑμνεῖν, ἀνυμ-νεῖν), sogar eine θεορία ἱερά, ,heilige Beschauung', anstelle wissenschaftlichen Erklärens und Erörterns. Das Preisen jedoch ist ein Nahebringen, spricht Teilhabe (μετέχειν) aus, ein Fundamentalbegriff für Dionysius – womit wir auch schon im Bereich des Mystischen sind[18].

---

[18] Gandillac schreibt: ,,pour l'auteur de ,Corpus' toute théologie est mystique"

Die spirituelle Theologie des Dionysius ist in einem sehr spezifischen Sinne Gottes-Lehre. Alles ist auf Gott ausgerichtet, eine besondere, in sich abgegrenzte Tugend- und Heilslehre etwa im Sinne der
mittelalterlichen Sentenzenkommentare und Summen gibt es nicht.
Das heißt auch, daß der Blick nicht unmittelbar auf den Menschen in
seiner Sündhaftigkeit und seinem Heilsverlangen fällt, sondern einzig
auf den Menschen in der Hierarchie, d. h. bereits auf dem Wege zu
Gott[19].

Im Rahmen der dionysischen Schriften bieten die DN die eigentliche Gotteslehre; hinzuzufügen ist die Vollkommenheitslehre der
MTh, gleichsam die spirituelle Aufgipfelung der Lehre von Gott.
Aber sie enthält auch rein theologische Erörterungen – wie die Gotteslehre der DN die Spiritualität des gotterfüllten Menschen nicht
ausschließt. Es bestätigt sich in der Thematik dieser Schriften, was
wir soeben hervorgehoben haben: Theologie und Spiritualität bilden
bei Dionysius eine Einheit.

Dionysius unterscheidet zwei Wege unseres Geistes zur Gotteserkenntnis: eine positive (καταφατικὴ, *affirmativa*) und eine negative
(ἀποφατικὴ, *negativa*) Theologie[20]. Im 3. Kapitel der MTh widmet
er ihnen eine ausführliche Darstellung[21].

In den ‚Theologischen Grundlinien‘, dem Werke also, das er mehrfach nennt, das aber nicht erhalten oder anderswo bezeugt ist, hätte

---

(Übersetzung, S. 31); Scazzoso: ,,Non esiste nel ‚Corpus‘ enunciazione teologica che
non si trasfiguri contemporaneamente in colore di mistica contemplazione" (S. 110).

[19] Das will nicht heißen, daß Dionysius nicht von der ,,frohen Botschaft" wußte,
die an alle Menschen gerichtet ist (sieh u. a. EH II B 1). Er faßt sie indes erst im
Vorgang der Wiedergeburt, dem Taufgeschehen, ins Auge. – W. Völker hat ein umfangreiches Kapitel über die ,,Ausformung des ethischen Lebens" bei Dionysius geschrieben (S. 25–83). Man kann dies, indem man sämtliche einschlägigen Stellen zu
einer systematischen Darstellung erhebt. Aber im System des Dionysius, das für uns
maßgebend bleibt, hat es keine besondere Stelle, und so vermittelt Völker eine unzutreffende Vorstellung von der Breite und den Akzentuierungen der dionysischen
Theologie.

[20] Einen dritten Weg, den man aus DN VII 3, 872 A, abgeleitet hat, die *via eminentiae*, gibt es nicht: diese fällt vielmehr mit der *via negativa,* deren Prädikation sie ist,
zusammen; s. Brons, S. 220f.

[21] Im folgenden bediene ich mich weniger der deutschen Übertragungen als der
französischen von Gandillac oder derjenigen in der ‚Dionysiaca‘-Synopse, die auch
bequem die lateinischen Fassungen bereitstellt.

er, so führt er aus, die wichtigsten Aussagen der positiven Theologie vorgetragen – Dionysius sagt ,,gefeiert'' –, d. h. gezeigt, in welchem Sinne die göttliche Natur ,,gut'', ,,einig'', ,,dreifältig'' sei, was ,,Vaterschaft'' und ,,Sohnschaft'' bedeute. Im zweiten Abschnitt erinnert er an die DN: Dieses Buch erkläre ,,die Namen des Guten, des Seins, des Lebens, der Weisheit und anderer geistiger Gottesbezeichnungen'' (1033 A). Sodann resümiert er die ,Symbolische Theologie', die zweite nicht erhaltene Schrift des Pseudoareopagiten. Er hätte darin die Namen untersucht, ,,die von sinnlichen Gegenständen auf Gott bezogen werden'', ,,Gestalten, Formen, Glieder, Organe, was im Göttlichen die Weltgegenden und kosmischen Bestimmungen, was Zorn, Schmerz'' und andere Affekte bedeuten (1033 A/B): alles Themen, die auch die DN ausführen.

Anschließend erklärt Dionysius, die ,Symbolische Theologie' hätte mehr Raum in Anspruch genommen als die ,Theologischen Grundlinien' und DN zusammen. Das sieht ganz so aus, als wären ,Symbolische Theologie' und ,Theologische Grundlinien' existierende Schriften gewesen. Aber gerade die hier gebotenen Zusammenfassungen lassen erkennen, daß der Inhalt der einen wie der andern in den DN völlig aufgeht. War es Dionysius formal um eine Trias der Gotteslehre zu tun? Wollte er diese beiden Schriften noch schreiben?

Beibehalten wird im folgenden der Gedanke des Umfangs der Darlegungen über die göttlichen Namen. ,,Je mehr wir uns zu Höherem erheben'', schreibt Dionysius, ,,umso bestimmter werden unsere Worte, denn die intelligiblen Dinge erlauben Zusammenschau (σύνοψις)''. Sind wir aber – im Prozeß der Gottesvereinigung – bis zur ,Finsternis' (γνόφος) vorgestoßen, d. h. jenseits des Intelligiblen, handelt es sich nicht mehr um knappe Rede (βραχυλογία), sondern die Worte überhaupt kommen zu ihrem Ende. Steigen wir vom Höheren zum Tieferen, mehren sich Worte und Begriffe, beim Steigen indes schrumpft unsere Rede (συστέλλειν) und endet beim Unaussprechlichen (ἄφθεγκτος) (1033 B/C).

Es ist der ,,Abstieg'' des Geistes, der den Weg der positiven (und symbolischen), der ,,Aufstieg'', der den Weg der negativen Theologie bestimmt.

Das geht indirekt aus dem bisherigen Text und bestätigend aus der Frage hervor: ,,Aber warum beginnt man, wenn es sich um göttliche Positionen (θέσεις) handelt, mit den höchsten Namen, warum mit den niedrigsten bei den Negationen?'' (1033 C). Die Antwort ist die:

Um positiv auszusagen über den, der alle Positionen übersteigt,
müssen sich unsere Positionen auf das abstützen, was Gott am nächsten ist. Umgekehrt, wenn negative Aussagen über den getroffen
werden, der über aller Negation steht, beginnt man notwendi-
gerweise mit der Verneinung dessen, was ihm am entferntesten ist.
,,Ist Gott nicht", fragt Dionysius abschließend, ,,vielmehr Leben
und Güte als Luft und Stein? Und ist er nicht entfernter von Rausch
und Zorn als von Sprache und Gedanke?" (1033 C/D).

Die Verknüpfung der positiven und negativen Theologie (die als
solche der kirchlichen Tradition, in der Dionysius stand, den großen
alexandrinischen und kappadozischen Vätern, nicht fremd war) mit
dem absteigenden und aufsteigenden Erkenntnisweg ist ein Novum
der christlichen Theologie. Hier fassen wir erstmals ein neuplatoni-
sches Vorstellungsmodell, das des Ausgangs des Einen zum Vielen
(πρόοδος) und das der Rückkehr aus dem Vielen zum Einen (ἐπιστροφή). Von Plotin entworfen, wurde es von Iamblichos und Proklos in dem Sinne weitergeführt, daß Plotins zweite und dritte Hy-
postase des Göttlichen, Geist und Seele, in eine Vielzahl von triadischen Wesenheiten mit der Funktion der Vermittlung (μεσότης)
übergeführt werden[22]. Hier haben die dionysischen Hierarchien ihren
historischen Ort.

2. Positive (affirmative) Theologie

Der Weg der Affirmation ist zwar nicht der eigentliche mystische
Erkenntnisweg, aber er erfordert schon deshalb eine Berücksichti-
gung, weil er nicht schlichtweg der negativen Theologie entgegen-
steht, sondern diese ergänzt, ja, wie wir sehen werden, immer wieder in sie umschlägt. Auch verzichtet kein Mystiker auf preisende
Gottesnamen.

In den DN geht Dionysius von dem aus, was Gott uns in den
biblischen Büchern mitzuteilen geruht hat. Sehr entschieden betont

---

[22] Zur Einführung in das neuplatonische Denken eignen sich vor allem Roques,
S. 68–81; Beierwaltes (1985), All-Einheit. Plotins Entwurf des Gedankens und seine
geschichtliche Entfaltung, S. 38–72; Entfaltung der Einheit, S. 155–192; in knappster
Form von Ivánka (1953).

er gleich zu Beginn, und immer wieder, daß seine Richtschnur (ϑεσ-μός) den Heiligen Schriften als Offenbarungen des Heiligen Geistes folge, und ihnen allein. Mit Namen und Bildern kam Gott der Schwachheit des menschlichen Erkenntnisvermögens entgegen und vermittelte so mit meßbaren Dingen seine ,,Unmeßbarkeit'' (ἀμε-τρία) (DN I 1, 588 A/B). Diese affirmative Theologie ist, da sie der Bilder als Zeichen bedarf, zugleich eine symbolische. In ihren weitesten Umrissen darf man sie auch als eine Erkenntnis betrachten, die Gott, jedenfalls seine ,,Spuren'', in der Schöpfung zu erkennen sucht. In der Zeichen-Präsenz Gottes in der sichtbaren Welt gehört Dionysius in die von Röm. 1,20 (von ihm DN IV 4, 699/700 C zitiert) ausgehende, von Augustin grundgelegte und Bonaventura vollendete Tradition[23].

Das Buch DN handelt – ich erwähne im folgenden nur die wesentlichsten Namen – zuerst und umfassend von der göttlichen Güte und was sie in sich schließt bzw. manifestiert: Licht, Schönheit, Liebe (c. IV), sodann von Gott als Sein, Leben und Weisheit (c. V–VIII) – eine Proklische Trias![24] –, als Macht und Gerechtigkeit (c. VIII), von Gott, der das Größte und Kleinste, das Ähnliche und Unähnliche, die Ruhe und die Bewegung zugleich ist (c. IX), von Gott als dem ,,Alten der Tage'' (Dan. 7,22), der über Zeit und Ewigkeit steht (c. X), vom Gott des Friedens (c. XI), dem Allerheiligsten, dem König der Könige, dem Herrn der Herren, dem ,,Gott der Götter'' (c. XII) und schließlich von Gott als dem Vollkommenen und Einen (c. XIII)[25]. Wir begegnen so der ganzen Fülle biblischer Gottesbezeichnungen, die schon immer herangezogen wurden, wo Gottes Größe, Ehre und Preis in Hymnen und Gebeten ins Wort gebracht werden sollten. Ihre besondere Funktion in den DN ist indes die Gotteserkenntnis.

Konstitutiv für das abendländische Schrifttum der Mystik wurden vor allem Gott als der Gute, als Licht und als der Eine.

Das Gute bestimmt Dionysius als göttliche Wesenheit. Durch das Gute, das er mit Platon der Sonne vergleicht, hat alles, was ist, seinen

---

[23] Röm. 1,20: *Invisibilia enim ipsius, a creatura mundi, per ea quae facta sunt, intellecta, conspiciuntur*; Augustin, De trinitate VI 10,12; Confessiones VII 17,23; Bonaventura, Itinerarium mentis in Deum c. II.

[24] Dazu Corsinis lichtvolle Abhandlung über die DN, S. 50–54, 156–164.

[25] Zum Aufbau der DN sieh von Ivánka (1940); von Balthasar S. 192f.; Corsini S. 37–73.

Bestand. Das gilt für die reinen Geistwesen, die Engel, die von der
Güte Gottes allein leben (IV 1), wie für die Seelen und die leblosen
Wesen: ,,sie alle leben wegen des Guten und drängen nach dem
Guten" (IV 2, 696 D). Der 3. Abschnitt von c. IV bestimmt sodann
das Gute genauer als das Gestaltlose, das alles gestaltet. ,,Wenn das
Gute alles Sein übersteigt, wie es tatsächlich zutrifft, muß gesagt
werden, daß es gestaltlos (ἀνείδεον) Gestalt verleiht (εἰδοποιεῖν). Es
allein, das ohne Wesenheit (ἀνούσιον) ist, übersteigt die Wesenheit,
ohne Leben übertrifft es alles Leben, ohne Vernunft ist es die alles-
überragende Weisheit und in dieser Weise alles, was in ihm im Über-
maß Gestaltbildung des Gestaltlosen ist (καὶ ὅσα ἐν τἀγαθῷ τῆς τῶν
ἀνειδέων ἐστὶν ὑπεροχικῆς εἰδοποιίας). Und wenn es zu sagen
erlaubt ist: Selbst das Nichtseiende begehrt nach dem Guten, das
über allem Seienden ist, und trachtet auf seine Weise, dieses Gute zu
empfangen, das durch die Verneinung alles Seiende (κατὰ τὴν
πάντων ἀφαίρεσιν) überschreitet (697 A).

Diese Bestimmung des Guten als ein Nichtsein-Übersein, das allein Sein verleiht, entspricht einer Gottesdefinition. Der Name ist so
nicht nur Attribut, sondern das Wesen selbst, und dies trifft für alle
Namen Gottes zu. An späterer Stelle sagt es Dionysius unmißver-
ständlich: ,,Unsere Rede besagt nicht, daß ein anderes das Gute sei,
ein anderes das Seiende, ein anderes das Leben, ein anderes die Weisheit . . ., sie will alle diese Ausgänge (πρόοδοι, *processiones* bei Eriugena, *processus* bei Sarracenus, Dionysiaca I 327) des Guten und alle
die von uns gefeierten Gottesnamen nur von einem Gott verstanden
wissen" (V 2, 816 C/D). Es handelt sich also trotz der neuplatonischen Terminologie nicht um die proklischen αὐτομετοχαί (*per se
participationes* übersetzten Sarracenus und Grosseteste, Dionysiaca I
341), die eigene Wesenheiten sind, sondern um *transcendentalia* bzw.
perfectiones im mittelalterlichen Sinne. Die Transzendentalienlehre
Meister Eckharts mit ihrer Gleichsetzung der *transcendentalia* mit dem
göttlichen *esse* dürfte hier ihren theologiegeschichtlichen Grund
haben.

Wir berühren hier einen Punkt, der das Verhältnis des Dionysius zu Proklos und
dem jüngeren Neuplatonismus überhaupt zu verdeutlichen vermag[26]. Dionysius for-

---

[26] Sieh dazu von Ivánka (1949), S. 15–18; (1953), S. 157f. Indes ist das CD nicht nur
eine ,,contrepartie chrétienne" (1949), S. 22, zum Neuplatonismus, sondern zugleich

muliert neuplatonisch (πϱόοδος, αὐτομετοχαί), aber die Mitteilung Gottes erfolgt nicht in Stufen und Vermittlungen – und bleibt so offen für den christlichen Schöpfungsbegriff, der mit neuplatonischer Emanationslehre schwer vereinbar ist. An Stelle der Sukzession von Stufen, die die göttliche Teilhabe in immer geringerem Maße vermitteln, gilt für Dionysius die Möglichkeit unmittelbarer Teilhabe auf allen Stufen der Hierarchie.

Die Konvertibilität der Gottesnamen bringt es auch mit sich, daß die Affirmation, die alle Namenzuordnung als solche konstituiert, in ihrem Bezug auf Gott in die Negation umschlägt – dieser ist nach IV 3 nicht Gestalt, nicht Wesen, nicht Leben, nicht Vernunft –: in die Negation, die zugleich als ὑπεϱβολή (eminentia) gefeiert wird. Daraus ergibt sich, daß die beiden Wege der Gotteserkenntnis nicht den selben Rang haben. Die via affirmationis mit ihren Bildern und Symbolen ist Handreichung (χειϱαγωγία) (II 2, 640 A) für den Beginnenden. Der Königsweg ist die via negationis.

Am sinnenfälligsten ist das Licht Manifestation, ,,Abbild" (εἰκών) des Guten (IV 4, 697 C), indem es vom Höchsten bis zum Niedrigsten hinabdringt und alles erleuchtet, erschafft und bewegt. Dies wird preisend in der Welt der Schöpfung aufgezeigt. Im besonderen und eigentlichen Sinne ist Licht indes intelligibles Licht (φῶς νοητόν) des Guten. Es vertreibt Unwissenheit und Irrtum (IV 5), ist mithin ,,Erleuchtung" (wovon später die Rede sein muß). Es ist ein quellhafter Strahl (ἀϰτὶς πηγαία) und ,,übersprudelnde Lichtergießung" (ὑπεϱβλύζουσα φωτοχυσία) (IV 6).

Im biblischen Horizont feiert Dionysius das Licht zu Beginn der CH. Alles Gute stammt vom ,,Vater der Lichter" (Jak. 1,17), und jedes Ausströmen des Lichtes, das uns erreicht, führt uns wiederum aufwärts als einigende Kraft (I 1). In diesem Licht offenbaren sich uns die Hierarchien der Engel (I 2).

So sehr die Lichtmetapher, wie gerade die Eröffnung der CH erweist, biblisches Erbe ist, die besonderen Akzente, die Dionysius setzt, der Emanationsgedanke, das Intelligible des Lichtes oder gar die ,Helios'-Etymologie (IV 4, 700 B) verweisen primär auf die platonisch-neuplatonische Tradition[27]. Es ist nicht zuletzt Dionysius,

---

Zeugnis einer Faszination. Umfassend und differenziert hat Corsini das Verhältnis des Dionysius zu Proklos dargestellt; sieh die wichtigsten Resultate S. 164f.

[27] Sieh vor allem W. Beierwaltes, Die Metaphysik des Lichtes in der Philosophie Plotins, Zs. f. philos. Forschung 15 (1960) 334–362 (= C. Zintzen [Hg.], Die Philo-

der die neuplatonische ,Lichtmetaphysik' dem Mittelalter vermittelt hat.

Als letztes im Buch ,Von den göttlichen Namen', im XIII. Kapitel, handelt Dionysius von Gott als dem Vollkommenen und Einen. Die Behandlung ist verhältnismäßig knapp, doch wird dieser Name der „wichtigste Punkt" der Abhandlung genannt (XIII 1).

Ich zitiere die wichtigsten Aussagen aus XIII 2 und 3: „Eins (ἕν) wird Gott genannt, weil er als Eines und kraft der überragenden Einheit in umfassender Weise, ohne aus sich herauszutreten, die Ursache von Allem ist. Denn es gibt nichts, was nicht an ihm teilhat ... So hat alles und jeder Teil von allem am Einen teil, und indem es eins ist, ist es existierend[28]. Doch ist das Eine, das die Ursache aller Dinge ist, nicht eines von vielen (τῶν πολλῶν ἕν), sondern vor allem Vielen, jedes Eine und alles Viele bestimmend ... Ohne das Eine gibt es keine Vielheit (πλῆθος), wohl aber das Eine ohne Vielheit so wie die Eins vor aller vervielfältigten Zahl. Wenn man annimmt, daß alles mit allem sich eint, wäre es zur Gänze eines" (2, 977 C–980 A).

„Doch ist auch zu wissen, daß alles Geeinigte durch eine ihm geeignete Form zum Einen wird und so das Eine das Grundelement ist (ἕν στοιχειωτικόν). Wenn du das Eine aufhebst, gibt es kein Ganzes mehr, keinen Teil und schlechterdings kein anderes Seiendes. Denn das Eine hat alles vorher in sich und umfaßt es in sich. Aus diesem Grunde preist die Theologie die ganze Gottesherrschaft (Θεαρχία) als Ursache aller Dinge mit dem Namen des Einen: einer ist Gott der Vater, einer unser Herr Jesus Christus, einer und derselbe der Heilige Geist (Πνεῦμα) mittels der überschwenglichen Unteilbarkeit der ganzen göttlichen Einheit (διὰ τὴν ὑπερβάλλουσαν τῆς ὅλης θεϊκῆς ἑνότητος ἀμέρειαν), in der alles geeinigt und übergeeint ist (συνῆκται καὶ ὑπερήνωται) und über alles Sein ehbevor besteht (πρόσεστιν ὑπερουσίως). Deshalb wird auch alles zurecht auf sie bezogen und ihr zugesprochen, auf sie, von der und in der und zu der

---

sophie des Neuplatonismus, WdF 186, S. 75–117); K. Hedwig, Sphaera lucis (Beitrr. z. Gesch. d. Philos. u. Theol. d. MAs, NF 18), Münster 1980, S. 23 ff.

[28] Die Zahl Eins zur Illustration des Einen in Allem und Vielem: Proklos, Elem. Theol., prop. 1, viel zitiert, wiederholt von Meister Eckhart, z. B. Expositio libri Sapientiae c. 7, n. 151 (LW II, 488,5). Sieh zum weiteren Kontext K. Albert, Meister Eckharts These vom Sein, Kastellaun 1976, S. 142 f.

hin alles besteht, hingeordnet ist, sich erhält, zusammengehalten, erfüllt wird und sich hinwendet, und du findest kein Wesen, das nicht durch das Eine, womit die ganze Gottheit überweslich benannt wird (καθ' ὅ πᾶσα ἡ θεότης ὑπερουσίως ὀνομάζεται), ist, was es ist, und sich vollendet (τελειοῦται) und bewahrt (n. 3, 980 B/C)... Deshalb ist auch die gepriesene Einheit und Dreiheit, die über allem stehende Gottheit (Θεότης, divinitas/deitas Dionysiaca I 550), weder eine Eins noch eine Drei in dem uns oder irgendeinem Wesen geläufigen Sinne, sondern wir nennen den, der über allen Namen ist, um die Übergeeintheit (ὑπερηνωμένον) in ihr wie die göttliche Fruchtbarkeit (ἀλγθῶς, fecunditas, Dionysiaca I 551) zu preisen, Trinitas und Einheit, das heißt wir bezeichnen mit Begriffen des Seienden den Überseienden (ὑπερούσιον)" (n. 3, 981 A).

Das Thema der zitierten Kernstellen aus DN XIII ist die ,,Metaphysik des Einen", die man als ,,Einheitsmetaphysik" (Metaphysik ,,von oben") nicht ganz glücklich der ,,Seinsmetaphysik" (Metaphysik ,,von unten") gegenübergestellt hat[29]. Was Dionysius betrifft, so ging er jedenfalls vom Vielen, nämlich den vielfältigen göttlichen Namen der Schriftüberlieferung, aus, um am Ende zum Einen zu gelangen. Unübersehbar ist die Nähe von Proklos, der methodisch nicht anders vorgeht. Was die Sache betrifft, so genügt es, auf die ersten sechs Propositionen der ,Stoicheiosis theologiké'/ ,Elementatio theologica' hinzuweisen. ,,Alle Vielheit hat in irgendeiner Weise teil am Einen" (1); ,,Alles, was am Einen teil hat, ist Eines und Nicht-Eines" (2); ,,Alles, was aus dem Einen hervorgeht, hat am Einem teil" (3); ,,Alles Geeinte ist anders als das Eine selbst" (4); ,,Alle Vielheit ist dem Einen nachgeordnet" (5); ,,Alle Vielheit beruht entweder auf Geeintem oder Einheiten" (6)[30].

Die Übereinstimmungen des Dionysius mit der proklischen Lehre vom Einen war dem spätmittelalterlichen Kommentator der ,Elementatio theologica', Berthold von

---

[29] Josef Koch, Augustinischer und dionysischer Neuplatonismus und das Mittelalter, Kant-Studien 48 (1956/1957) 117–133 = W. Beierwaltes (Hg.), Platonismus in der Philosophie des Mittelalters (WdF 197), Darmstadt 1969, S. 317–342. Kritisch dazu: Kurt Flasch in der ,Einleitung' zu: Berthold von Moosburg, Expositio supra Elementationem theologicam Procli, hg. von M. R. Pagnoni-Sturlese/L. Sturlese (Corpus Philosophorum Teutonicorum Medii Aevi VI 1), Hamburg 1984, S. XIV f.
[30] Sieh E. R. Dodds, Proclus ,The Elements of Theology', ²Oxford 1963, S. 2–6; zur Parallele mit DN XIII 2 s. Commentary S. 188.

Moosburg[31], wohl bewußt: Er zitiert in der Erörterung der ersten Propositionen immer wieder DN XIII[32]. Aber gerade diese Gemeinschaft war es, die der christlichen Orthodoxie nicht geheuer sein konnte. Daß dem ,Liber de causis' als mittelalterlicher Bearbeitung der ,Elementatio' eine so durchschlagende Wirkung in der Hochscholastik beschieden war, verdankt er wohl dem Umstand, daß die ersten Propositionen mit der Lehre vom Einen, das nur sich selbst und sonst nichts ist und das mit der christlichen Dreiheit der Personen unvereinbar erscheint[33], ausgeklammert wurden.

Das Eine in seinem Verhältnis zur Trinität war nun, wie aus dem zitierten Text hervorgeht, bereits das eigentliche Problem des Dionysius. Er hypostasiert die Dreieinigkeit, indem er bestimmt, daß die ,,über allem stehende Gottheit'' weder eine Eins noch eine Drei'', sondern eine ,,Übergeeintheit'' (ὑπερηνωμένον) ist. Er wendet also das apophatische Prinzip im ,,transzendentalen Vorbehalt'' an (das im nächsten Kapitel zur Behandlung kommt). Wie immer die philosophische Begründung beurteilt werden mag, es ist unübersehbar, daß Dionysius die christliche Drei-Einheit als ,,Vorentwurf von Welt'' zu begreifen sucht[34]. Das proklische Eine vermag das Trinitätsdogma nicht zu gefährden.

3. Negative (apophatische) Theologie

Obschon die DN erklärtermaßen positive Aussagen über Gott thematisieren, betont Dionysius als erstes und immer wieder dessen Unerkennbarkeit, indem er vom ,,Unaussprechbaren und Unbekannten'' (I 1, 585 B) spricht, von der ,,überwesentlichen und verborgenen Gottheit'' (περὶ τῆς ὑπερουσίας χαὶ κρυφίας θεότητος), von der Unmöglichkeit, dieses Überseiende (ὑπερουσιότης, super-

---

[31] Zur Einführung empfiehlt sich: Loris Sturlese, Proclo ed Ermete in Germania da Alberto Magno a Bertoldo di Moosburg, in: Kurt Flasch (Hg.), Von Meister Dietrich zu Meister Eckhart (CPTMA, Beiheft 2), Hamburg 1984, S. 22–33; ders. ,Homo divinus' . Der Prokloskommentar Bertholds von Moosburg und die Probleme der nacheckhartschen Zeit, in: Kurt Ruh (Hg.), Abendländische Mystik im Mittelalter. Symposion Kloster Engelberg 1984, Stuttgart 1986, S. 145–161; Kurt Flasch, Einleitung zur Berthold-Ausgabe [Anm. 29], S. XI–XXXVIII.

[32] Ausgabe [Anm. 30], S. 71 ff.

[33] Aus diesem Grunde wurden Sätze Eckharts über das Eine im proklischen Sinne als häretisch verdächtigt: s. die Bulle ,In agro dominico' Satz 23 und 24 (Denzinger-Schönmetzer, Enchiridion Symbolorum, Freiburg i. Br. [33]1965, Nrr. 973, 974.

[34] Beierwaltes, Denken des Einen, S. 213.

substantialitas, superessentialitas, Dionysiaca I 7), das über Vernunft
(λόγος), Geist (νοῦς) und Wesenheit (οὐσία) hinausgeht, zu erkennen" (I 1, 588 A). Der locus classicus für die Nichterkennbarkeit
Gottes ist indes MTh V: ,,Noch höher steigend sprechen wir jetzt
aus, daß er [die Erstursache, πάντων αἰτία] nicht Seele und auch
nicht Geist ist, daß ihm weder Einbildungskraft (φαντασία) zueigen
sein kann, noch Meinung (δόξα), noch Vernunft, noch Erkenntnis
(νόησις), daß Gott weder ausgesprochen noch gedacht werden kann.
Er ist weder Zahl noch Ordnung (τάξις), noch Größe und Kleinheit,
nicht Gleichheit (ἰσότης) und Ungleichheit (ἀνισότης), nicht Ähnlichkeit (ὁμοιότης), nicht Unähnlichkeit (ἀνομοιότης). Er kann nicht
unbeweglich sein, auch nicht sich bewegen, er ist nicht Ruhe und
nicht Macht, noch hat er sie. Er kann seine eigene Veränderung nicht
wollen, noch sie bewirken. Er ist nicht Licht, er lebt nicht und ist
nicht Leben. Er ist nicht Sein (οὐσία), nicht Ewigkeit, nicht Zeit.
Man vermag ihn nicht mit Denken zu erfassen, er ist nicht Wissen
(ἐπιστήμη), nicht Wahrheit, nicht Herrschaft, nicht Weisheit, nicht
die Eins (ἕν) und nicht die Einheit (ἑνότης), nicht die Göttlichkeit
(θεότης), Güte und Geist (πνεῦμα), so wie wir sie verstehen. Er ist
auch nicht Sohnschaft (υἱότης) und Vaterschaft (πατρότης), nicht
was sich mit etwas uns Bekanntem oder von irgendwem Erfahrenem
vergleichen ließe. Es ist nicht von dem, was dem Nichtsein, aber
auch nicht von dem, was zum Seienden gehört. So kann keines der
Dinge ihn erkennen, insoweit er ist, aber auch er erkennt keine Dinge, insofern sie sind [das Endliche als solches]. Es gibt kein Wort
(λόγος), keinen Namen (ὄνομα), kein Wissen (γνῶσις) über ihn. Er
ist nicht Dunkelheit und nicht Helligkeit, nicht Irrtum und Wahrheit,
man kann ihm überhaupt weder etwas zusprechen (θέσις, *positio*)
noch absprechen (ἀφαίρεσις, *ablatio*), was ,,nach ihm" ist. Wenn wir
ihm etwas zusprechen oder absprechen, so ist er es nicht, dem wir
zusprechen oder absprechen: er steht über jeder Zusprechung, er ist
die absolute und alleinige Ursache aller Dinge. Er steht auch über
jeder Verneinung, der die Fülle (ὑπεροχή) zukommt, er steht außerhalb und über allen Dingen" (1045 D–1048 B).
  Die umfassendste und zugleich konzentrierteste Apophase des
Dionysius ist nicht ohne Ordnung[35]. Was sofort auffällt, sind die

---

[35] Sieh Hella Theill-Wunder, S. 148 ff. Ich modifiziere ihre Gliederung.

Gegensatzpaare, wo immer sie möglich sind: Größe – Kleinheit, Gleichheit – Ungleichheit, Ähnlichkeit – Unähnlichkeit usw. Sie schließen auf der Ebene dieser Kategorie jede Beziehung mit dem Einen aus. Was die Reihenfolge betrifft, so beginnt die Aufzählung mit den höchsten Emanationen des Einen: Seele, Geist, denen Einbildungskraft, Meinung, Vernunft und Erkenntnis folgen. Kategorien der physischen Welt schließen sich an: Zahl, Ordnung, Größe-Kleinheit, Gleichheit-Ungleichheit, Ähnlichkeit-Unähnlichkeit, Unbeweglichkeit-Beweglichkeit. Die nächste Gruppe kann man als Seinskategorien ansprechen: Macht und Licht, Lebewesen und Leben, Dasein, Ewigkeit-Zeit. Die vierte Gruppe nennt Vollkommenheiten: Wissen, Wahrheit, Herrschaft, Weisheit, die fünf Wesenseigenschaften und Hypostasen: Göttlichkeit, Güte, Geist, Vaterschaft und Sohnschaft. Die letzte Gruppe spricht alle unsere Erkenntnismöglichkeiten an: das Wort, Nennen und Wissen, die, bezogen auf Gott, verneint werden. Verneint wird aber auch das Zusprechen und Absprechen als solches, positive und negative Theologie. Mit der Negation der eigenen und eigentlichen Methode, der Apophase, schlägt indes die Negation nicht in die Position um, sondern negiert, auf dieselbe Weise wie die früheren Gegensatzpaare, die Methode schlechthin.

Man hat die Verneinung der Affirmation den ,,transzendentalen Vorbehalt'' genannt[36]. Das ist, wie immer wieder und zurecht betont wurde, kein Agnostizismus. Die Verneinung aller unserer Aussagen über Gott besagt nur, daß er, der Eine, πάντων ἐπέκεινα (Ep. V) ist, jenseits unserer Erkenntnismöglichkeiten steht, über alles Denkbare hinausragt: er ist – und das ist eine der häufigsten Bestimmungen Gottes – über allem Sein, ὑπερούσιος (z. B. DN I 1,585 B; MTh I 1, 997 A; II, 1025 C), *supersubstantialis, superessentialis* in den mittelalterlichen Übersetzungen, und damit über allen Gottesnamen, die auf einzelne Grundzüge des göttlichen ,,Seins'' weisen. Er ist so der ,,Übergute'', ὑπεράγαθος (DN II 4, 641 A), *superbonus*, der ,,Überherrscher'', ὑπερενάρχιος (ebd.), *superprincipalis, superprincipatum*, der ,,Überschöne'', ὑπέρκαλος (MTh I 1, 997 B), *superpulcher*, der ,,Überstrahlende'', ὑπέρλαμπρος (ebd.), *supersplendens*, der ,,Überweise'', ὑπέρσοφος (DN II 3, 640 B), *supersapiens*, der ,,Überleuch-

---

[36] Brons, S. 214 ff.

tende", ὑπέρφωτος (MTh I 1, 997 A), *superlucens, supersplendidus,* der ,,Unnennbare", ὑπερώνυμος (DN I 7, 596 D), *supernominalis, supernominabilis* usw.[37].

Obschon Dionysius in seinen Schriften zwei Erkenntnisweisen Gottes lehrt, die positive und die negative, obschon er dabei die positive keineswegs vernachlässigt hat, ist er im Bewußtsein des Mittelalters allein der gefeierte Vertreter der *via negativa*. Bonaventura formulierte es für alle: die Betrachtung der göttlichen Geheimnisse geschieht auf zwei Wegen: *vel per positionem, vel per ablationem. Primum ponit Augustinus, secundum Dionysius* (De triplici via III 11).

---

[37] Die ὑπέρ-*super*-Bildungen haben auch auf die volkssprachliche Mystik (und Scholastik) eingewirkt. Man konsultiere dazu die Wortregister der Ausgaben.

III. Die mystische Theologie

Literatur: siehe die sub II. genannten Titel.

Im Bewußtsein des Abendlandes ist Dionysius nicht nur Kronzeuge für die *via negativa* der Gotteserkenntnis, sondern auch die erste Berufungsinstanz für die *via triplex* zur Vollkommenheit und für die mystische Erfahrung der göttlichen Dunkelheit. Letzteres ist erster und eigentlicher Gegenstand der MTh, die *via triplex* ein Prinzip, das in der CH wie in der EH auf jeder hierarchischen Stufe wirksam ist. In unserm Zusammenhang sind die Aussagen der CH die entscheidenden.

1. Der dreifache Aufstiegsweg

Die Hierarchie, die der Engel wie der Kirche – und beide zusammen bilden die ,,Welt" schlechthin –, ist zwar ,,heilige Ordnung", indes kein in sich ruhendes System, sondern ein Wirkungsgefüge (ἐνέργεια) der intelligiblen Welt, dessen Leiter und Bewirker (καθηγεμών) Gott ist, mithin eine Thearchie. In ihr ist das Ähnlich- und Einswerden (ἀφομοίωσις, ἕνωσις) das alleinige Ziel. Dieser, in unserm Sinne ,,mystische" Aufstieg – Dionysius nennt ihn jedoch nirgends so – vollzieht sich in einem Dreischritt.

,,Die Heilige Ordnung verlangt, daß die einen gereinigt sind und die anderen sich reinigen (καθαίρεσθαι, καθαίρειν), die einen erleuchtet sind und die andern erleuchten (φωτίζεσθαι, φωτίζειν) und die einen vollendet sind und die andern vollenden (τελεῖσθαι, τελεσιουργεῖν) . . . [Die göttliche Seligkeit] reinigt, erleuchtet und vollendet, besser gesprochen: sie ist selbst Reinheit, Erleuchtung und absolute Vollkommenheit" (CH III 2,165 B/C).

Diese energetischen Kräfte Reinigung (κάθαρσις), Erleuchtung (φωτισμός), Vollendung (τελείωσις) aber wirken wie folgt: ,,Es müssen, so denke ich, diejenigen, die gereinigt werden wollen, zu völliger Lauterkeit geführt und von jeder andersartigen Beimischung frei werden. Diejenigen, die erleuchtet werden sollen, müssen sich mit göttlichem Licht erfüllen und durch den vollkommen geheiligten Blick des Geistes emportragen lassen bis zum Stand und Vermögen der Beschauung (πρὸς θεωρητικὴν ἕξιν καὶ δύναμιν). Diejenigen endlich, die vollendet werden sollen, müssen, dem Zustand der Unvollkommenheit enthoben, am vollkommenen Wissen der geschauten heiligen Geheimnisse teilhaben (γίνεσθαι τῆς τῶν ἐποπτευθέντων ἱερῶν τελειωτικῆς ἐπιστήμης). Andererseits müssen diejenigen, die Reinigung zu bewirken vermögen, aus ihrer Überfülle (περιουσία) der Reinheit andern von ihrer Makellosigkeit mitteilen, die zu erleuchten vermögen, müssen als heller erleuchtete Geister . . . das Licht, das ihr ganzes Wesen durchflutet (ὑπερχεόμενον φῶς), auf die des Lichtes Würdigen überleiten. Diejenigen endlich, die Vollendung erzeugen, müssen, mit der Gabe der vollendeten Mitteilung (μετάδοσις) ausgestattet, die Glieder, die vollendet werden, durch die heilige Einweihung (πανιέρη μύησις) in die Erkenntnis (ἐπιστήμη) heiliger Geheimnisse zur Vollkommenheit führen. So wird jede Stufe der hierarchischen Ordnung gemäß ihrem Rang zur Mitwirkung mit Gott (θεία συνεργία) erhoben" (CH III 3,165 C-168 A).

Die drei ,,Wege" – wenn man wirkende Kräfte so nennen darf – sind von Dionysius nicht im besonderen auf den Menschen hin formuliert, sondern als hierarchische Aktivität auf der Ebene der himmlischen und kirchlichen Hierarchie schlechthin beschrieben. Allein da es sich um die intelligible Welt handelt, gilt der Prozeß der Vervollkommnung selbstverständlich und sogar primär dem Menschen. Er wird rangmäßig den Engeln angenähert, an deren ,,Erhebung" er als vernunftbegabtes und intelligentes Wesen (λογικοὶ καὶ νοεροί) teilhat (X 2). Wie in jedem himmlischen Geist (οὐράνιος νοῦς) leben und wirken im menschlichen (ἀνθρώπικος νοῦς) die drei hierarchischen Kräfte der Reinigung, Erleuchtung und Vollendung (X 3).

Zu den Eigentümlichkeiten der dionysischen Hierarchie gehört, daß es drei verschiedene Ordnungen, die gestufte Trias der Engelchöre, gibt, in denen die drei Kräfte gleichermaßen wirken. Derselbe Prozeß der Vergöttlichung vollzieht sich auf den unterschiedlichen Graden der ,Analogie', d. i. der Teilnahme an Gott: ,,Die Teilnahme am thearchischen Wissen (θεαρχικὴ ἐπιστήμη) ist nichts anderes als Reinigung, Erleuchtung und Vollendung" (CH VII 3, 209 C); ,,Ge-

mäß dieser hierarchischen Erleuchtung erlangt jeder einzelne Geist in
dem ihm zustehenden und erreichbaren Maße Anteil an der Reinheit
ohnegleichen (ὑπεραγνοτάτη κάθαρσις), dem überflutenden Licht
(ὑπερπλήρες φῶς) und der schon immer vollendeten Vollendung
(προτέλειος τελείωσις)" (CH X 3, 282 B).

Wie aber ist der Prozeß zu erklären, daß diejenigen, die als Gerei-
nigte (Erleuchtete, Vollendete) Reinigung (Erleuchtung, Vollendung) bei denen zu bewirken vermögen, die Reinigung (Erleuchtung, Vollendung) erstreben? Handelt es sich um eine spezifische
Dynamik innerhalb der je gleichen oder um einen Vorgang zwischen
verschiedenen Stufen? Ich denke, das letztere, die vertikale Aktivität,
ist zutreffend. Es verhält sich nämlich so, daß die hierarchischen
Stufen „durchlässig" sind – anders gäbe es keinen Aufstieg –, und
zwar in dem Sinne, daß die oberen Stufen die Funktion der unteren
integriert haben. „Alle Chöre der Engel sind Offenbarer (ἐκφαντο-
ρικοί) und Boten derer, die vor ihnen sind" (CH X 2, 273 A).

Ein anschauliches Beispiel bietet die EH mit der Trias der priesterlichen Stände:
„Wir haben vorgeführt, daß dem Stand der Hierarchen (Bischöfe) die vollendete
Gewalt und Wirksamkeit eigen ist, dem Stand der Priester die Erleuchtung der Seelen
zukommt, die auch in der Tat erleuchtet werden, der Stand des Liturgen die Macht zu
reinigen und auszuscheiden hat. Aber natürlich vermag der Stand der Hierarchen nicht
nur zu vollenden, sondern auch zu erleuchten und zu reinigen, und die Gewalt der
Priester schließt mit der Kraft der Erleuchtung auch diejenige der Reinigung in sich"
(EH V 7, 508 C).

In diesem Sinne ist die Unterscheidung derjenigen, die gereinigt
sind, von denen, die sich reinigen u. s. w., zu verstehen, und daß
diejenigen, „die Reinheit zu bewirken vermögen", ihre Makellosigkeit den andern mitteilen (s. o.). Es sind die Erleuchteten, die gereinigt sind und deshalb zu reinigen vermögen, die Vollendeten, die
erleuchtet und gereinigt sind und deshalb zu erleuchten und zu reinigen befähigt sind. Von selbst versteht sich, aber Dionysius betont es,
daß diese Hierarchisierung nur in aufsteigender Bewegung gilt.

Der obersten Hierarchie kommt die Sonderstellung zu, daß sie ihre
Kräfte der Reinheit, Erleuchtung und Vollendung unmittelbar
(ἀμέσως) von Gott erhält (CH X 1, 272 D).

In der Darstellung sowohl der Engelchöre wie der priesterlichen
Ämter der EH verfolgt Dionysius die absteigende Linie, die Vermittlung der oberen an die unteren Grade, aber in der Ausführung der

einzelnen Aktivitäten überwiegt durchaus der Aspekt des Aufstiegs.
Es entspricht dies der Situation des Menschen und der ihm zukommenden Mystagogie, während die absteigende Vermittlung (κα-
ταγωγικὴ διαπόρθμευσις)[38] deren theologische Voraussetzung genannt werden kann.

Daß das Modell dieser Doppelbewegung dem jüngeren Neuplatonismus angehört, ist unbezweifelbar[39]: sie ist die christliche Abwand-
lung der πρόοδος und der ἐπιστροφή. Christlich in dem Sinne, als
die πρόοδος, der schöpferische Hervorgang Gottes, keine kosmische
Notwendigkeit ist, sondern die freiwillige Selbstvermittlung Gottes
im Schöpfungsakt wie in den Gnadengaben[40].

Wichtig ist der Zusammenhang der absteigenden und aufsteigenden Vermittlung. Sie verhalten sich simultan, die eine bedingt die
andere und umgekehrt. Die Vermittlung der oberen ,,Geister" nach
unten ist auch schon der Aufstieg der untern.

Denkt man an die ,,Wege"-Vorstellung des Abendlands, so wird
man feststellen, daß sie trotz der Verbindung der dionysischen Trias
der Reinigung-Erleuchtung-Vollendung mit den Habitus Gregors
des Großen, des Beginnenden, des Fortschreitenden und des Vollen-
ders, sowie der Zuordnung von ,,Übungen" (Meditation, Gebet,
Kontemplation) – ich skizziere damit das Schema Bonaventuras[41] –
schlichter geworden ist. Allein auf den Menschen und seine (außerordentliche) Vollkommenheit bezogen, fehlt ihr vor allem die Eingli-
derung in den hierarchischen, überpersönlichen geistigen Kosmos.
Auch bedingt die ,,Wege"-Vorstellung eine einzige Bewegung, die
Weiteraufwärts-Bewegung; die niedersteigende Bewegung des Göttlichen, die πρόοδος, wird nicht mitgedacht. Dieser Verlust der Si-
multaneität ist zugleich Verlust von innerer Dynamik. Das hängt
bestimmt damit zusammen, daß die spezifisch neuplatonischen Elemente ausgesondert wurden: nämlich die Einbindung der Geistwelt
in ein hierarchisches Gefüge, das nicht ohne weiteres als ,,Schöp-

---

[38] Die Begriffe ,,médiation descendante" und ,,médiation ascendante" sind von
Roques, S. 102 ff., eingeführt.

[39] Sieh von Ivánka (1949), S. 5 ff.; ders. (1953), S. 153 ff.; Roques, S. 71 ff.

[40] Auch die Trias Reinigung, Erleuchtung, Vollendung geht auf Proklos, vornehm-
lich dessen Alkibiades-Kommentar (ed. L. G. Westerink, Amsterdam 1954) 5,2 f.,
247,2 zurück. Hinweis und weitere Stellen bei Beierwaltes (1985), S. 393 mit Anm. 18.

[41] In ,De triplici via' (Op. omn. Quaracchi VIII), S. 3–27.

fung" zu erkennen war, auch wenn es von Dionysius so verstanden wurde, sowie der Hervorgang des Einen. An deren Stelle trat im abendländischen Wege-Schema die heilsgeschichtliche Ausrichtung. Noch eine weitere Frage stellt sich von der mittelalterlichen Mystik her: diejenige nach der Theoria, der Kontemplation. Sie ist nach dem bereits erwähnten „klassischen" Modell Bonaventuras als dritter *modus exercendi* (Prologus) der obersten Stufe zugeordnet, hat also im Prozeß der Vergöttlichung eine ganz bestimmte Stelle. Das ist bei Dionysius anders. Weder in den beiden Hierarchien noch in DN und MTh hat θεωρία einen Ort im System – insofern sind ausführliche Kapitel, die der dionysischen Kontemplation gewidmet sind[42], etwas irreführend –, sie ist ein eher beiläufiger Begriff, obschon sie durch die alexandrinischen und kappadozischen Väter sowie Evagrios[43] bereits eine spezifische Ausformung gefunden hat.

Es gibt Hinweise, die θεωρία der zweiten und in Abgrenzung dazu die ἐπιστήμη (Wissen) der dritten Stufe zuordnen. Roques hat dies auf Grund von EH V 3, 504 B; V 8, 516 B und CH III 3, 165 D (oben, S. 31, zit.) getan. Aber diese wenigen Stellen erlauben nun doch keine Systematisierung, und Völker ist recht zu geben, der im Sprachgebrauch keine konsequente Unterscheidung der beiden Begriffe erkennen kann[44]. In der Tat kommt auch den höchsten Wesen Beschauung zu[45], und DN I 2, 588 C, ἐπιστήμη καὶ θεωρία, wird offensichtlich synonym für ‚Erkenntnis' eingesetzt.

Richtig ist, daß θεωρία bei Dionysius ein Prinzip der Teilnahme ist, das grundsätzlich auf allen Stufen, von der Taufe, der θεογενεσία, an, wirksam ist. Sie hat als das Vermögen schlechthin zu gelten, am göttlichen Leben, sei es im sakramentalen, sei es im intelligiblen Bereich, teilzunehmen. Im sakramentalen stiftet sie eine Art heiliger Gemeinde (θεωρητικὴ δὲ τάξις ὁ ἱερὸς λαός, EH VI (III) 5), 536 D), was im intelligiblen mit seinen Ordnungen der Engel bereits vollzogen ist. θεωρία ist so, an keine Stufe gebunden und in allen wirksam,

---

[42] So besonders Völker, der den ganzen Hauptteil II unter den Titel „Die Kontemplation" stellt; s. auch Roques, in: DAM II 1885–1894.

[43] Sieh jetzt Hans-Georg Beck, Theoria. Ein byzantinischer Traum, MSB, Philos.-hist. Klasse 1983/7, München 1983.

[44] Roques, S. 126–128; Völker, S. 134f.; 170 Anm. 3.

[45] Belege bei Völker, S. 135, Anm. 1. Doch ist der Beleg CH VII 2, 208 B zu streichen, der, im Zusammenhang gesehen – die θεωρητικοὶ beziehen sich auf die Erleuchtungsstufe der obersten Hierarchie –, die These von Roques unterstützt.

von verschiedener Intensität, stets jedoch vom Ziel, der Gottähnlichkeit, bestimmt.

Nach der Darstellung und dem Sprachgebrauch des Dionysius wird die Lehre von den drei hierarchischen Kräften (die im Abendland zu ,,Wegen" geworden sind) nicht der ,,mystischen" Erkenntnisweise zugeordnet. Es handelt sich ja auch nicht um einen Weg besonderer Gnade und Erwähltheit, sondern um den Weg des Christen schlechthin, der sich dem sinnlichen Leben entrissen hat. Es ist der sozusagen außergeschichtliche Heilsweg, außergeschichtlich, weil er aus der Horizontalen der heiligen Zeiten in die Vertikale oder doch wohl besser: die Spirale eines intelligiblen Kosmos projiziert erscheint. ,,Mystisch" in einem spezifischen Wortsinn ist nur die *mystica theologia*. Wenn wir ihr trotzdem auch den dreifachen Aufstiegsweg zugeordnet haben, so geschah dies im Anschluß an das Dionysius-Verständnis des Abendlandes.

2. Das mystische Dunkel

a) Die MTh[46] beginnt mit einem Gebet[47]:

,,Überwesentliche, übergöttliche und übergute Dreieinigkeit (Τριὰς ὑπερούσιε καὶ ὑπέρθεε καὶ ὑπεράγαθε), Leiterin der Theosophie der Christen, führe uns auf den über alle Erkennbarkeit erhabenen (ὑπεράγνωστος), im Überlicht strahlenden (ὑπερφαός) höchsten Gipfel der mystischen Erkenntnisse (μυστικοὶ λόγοι), dorthin, wo die einfachen, unverhüllten und unwandelbaren Geheimnisse der Theologie (τὰ ἁπλᾶ καὶ ἀπόλυτα καὶ ἄτρεπτα τῆς θεολογίας μυστήρια) im überhellen Dunkel (ὑπέρφωτος γνόφος) des geheimnisumhüllten Schweigens (κρυφιομύστη σιγῆ) enthüllt werden, Geheimnisse, die in ihrem Finstersten das Überhellste (ὑπερφανέστατον) überstrahlen und im gänzlich Unfaßbaren und Unsichtbaren, mehr als der überschönste Glanz es vermag, die augenlosen Geistwesen (νόες) erfüllen. Dies sei mein Gebet" (I 1). Timotheus aber, an den die Schrift gerichtet ist, wird aufgefordert, wenn er sich um

---

[46] Eine Ausgabe der MTh in satzrhythmischer Anordnung (mit französischer Übersetzung) bei Vanneste, S. 226–245.

[47] Auch die CH setzt mit einem Anruf ein (I,2), dem nur eine biblische Präambel vorangeht; er richtet sich an Jesus, das ,,Licht des Vaters".

mystische Schau (μυστικὰ θεάματα) bemühe, sich von aller sinnlichen Wahrnehmung und entsprechender Denktätigkeit zu befreien und „erkenntnislos" (ἀγνώστως) zur Einigung (ἕνωσις) mit dem, was über allem Sein und Erkennen (οὐσία καὶ γνῶσις) liegt, emporzustreben. Denn durch das von allem befreite Heraustreten des Geistes (ἔκστασις) führt zum „überwesentlichen Strahl (ὑπερούσῃ ἀκτίς) des göttlichen Dunkels (θεῖος σκότος)" (ebd.).

Befreit vom stilistischen Überschwall besagt die Kernstelle des Beginns folgendes:

1. Der Autor will mit Hilfe der Trinität sich und den begnadeten Adepten auf den höchsten Gipfel mystischer Erkenntnisse führen.

2. Diese, als höchste und erhabenste Geheimnisse der Theologie, werden in einem Bereich enthüllt, der mit „überhellem Dunkel" und ähnlichen Notationen als unfaßbar und unsichtbar bezeichnet wird.

3. Indes enthüllen sich diese Geheimnisse in mystischer Schau (μυστικὰ θεάματα), sofern sich der Schauende von aller sinnlichen Wahrnehmung und jeder Denktätigkeit zu befreien vermag – und damit den Zustand erreicht, den Evagrios ein Jahrhundert früher *apátheia* genannt hat.

4. Im Heraustreten des Geistes (ἔκστασις) gelangt dieser zur Einigung (ἕνωσις), bildhaft: zum „überwesentlichen Strahl des göttlichen Dunkels".

Diese Eröffnung der MTh, die in nuce das umschreibt, was wir in einem engeren und eigentlichen Sinne „mystisch" nennen, hat wie kaum eine andere kurze Textstelle Geschichte gemacht. Das beweist schon eine Flut von Kommentaren, die diesen Text aufzuschlüsseln versuchen.

Er kann durch Aussagen der Ep. I, V und IX ergänzt werden. An den Mönch Gaius schreibt Dionysius in Ep. I: „Die Finsternis weicht dem Licht, und zumal dem stärksten Licht, Unwissenheit (ἀγνωσία) verdunkelt das Wissen (γνῶσις) und am meisten das Viel-Wissen. Wenn Du das aber in einem höheren Sinne verstehst und nicht als bloße Verneinung (στέρησις), dann mußt du aussagen, was unerschütterlich wahr ist: daß das wahre Licht vor denen, die es besitzen, doch verborgen bleibt, daß die wahre Erkenntnis die Nichterkenntnis Gottes ist und daß dessen unendliche Finsternis alles Licht verdunkelt und alle Erkenntnis verhüllt" (1065 A).

Der V. Brief an den Diakon Dorotheos ist erhellend, weil er den biblischen Bezugspunkt herstellt: „Das göttliche Dunkel (ϑεῖος γνόφος) ist das unerreichbare Licht (ἀπρόσιτον φῶς), in dem nach der Schrift Gott wohnt (1 Tim. 6,16), unsichtbar wegen seiner unermeßlichen Helle, unzugänglich wegen der Überfülle (ὑπερβολή) des aus ihm strahlenden überwesentlichen Lichtes". Das bestätigt das Psalmenwort 138,6 („Wunderbar ist Deine Erkenntnis über mir, sie ist so machtvoll, daß ich nicht zu ihr gelangen kann"), und so ist auch vom „göttlichen" Paulus gesagt, „daß er Gott erkannt hat über alle Erkenntnis und alles Wissen erhaben. Deshalb sind seine Wege unaussprechlich (2 Kor. 9,15) und der Friede, den er schenkt, übersteigt alle Vernunft (Phil. 4,7), weil er den, der über allem ist, gefunden und auf eine Weise, die alle Vernunft übersteigt, erkannt hat, daß der, der die Ursache aller Dinge ist, alles Sein überragt" (1073 A/ 1075 B).

Der IX. Brief, an Titus den Hierarchen gerichtet, bietet zur Hauptsache eine – z. T. fast aufklärerisch anmutende Weise[48] – Auslegung der Hauses der Weisheit (Prov. 9,1). Zwei Arten von Weisheit werden unterschieden: die eine ist unsagbar (ἀπόρρητος) und mystisch (μυστικός), die andere offenbar und bekannt. Die erstere wird als „symbolisch" bezeichnet (συμβολική) – ohne „symbolische" Theologie, die der positiven Theologie zugeordnet ist, zu sein –, weil sie sich der Metapher bedienen muß. Sodann bedarf sie der Einweihung, sie ist τελεστική.

Als Ergänzung und Kommentierung der Kernstelle I 1 kann auch der ganze Rest der MTh verstanden werden.

In I 2 wird der Empfänger des Sendbriefs (um einen solchen handelt es sich in der MTh nach mittelalterlichem Typenbewußtsein), Timotheus, ermahnt, die Geheimnisse der MTh nicht an „Ungeweihte" (ἀμύητοι) zu vermitteln, nämlich Leuten, die vom Seienden befangen sind. In gleicher Weise fordert Dionysius Timotheus zu Beginn der EH auf, die Geheimnisse des verborgenen Gottes vor Unberufenen zu bewahren, damit sie nicht besudelt werden (I 1, 372 A), und in DN heißt es von mystischen Gegenständen (μυστικά), sie seien für die große Menge nicht auszusprechen (ἄρρητα). Das hängt mit der von Dionysius vertretenen Lehre der Initiation,

---

[48] Gandillac, Franz. Übers. S. 352, Anm. 1: „on croirait lire du Voltaire".

des Einstandes in die Weihen (die μυσταγωγία MTh I 2, 1000 A; das oben zitierte τελεστικόν), zusammen, die hier freilich nicht vorzutragen ist[49].

Die wichtigste Ergänzung zu den Kernaussagen des Beginns ist der Abschnitt I 3: das Beispiel des Moses, des alttestamentlichen Prototyps mystischer Gotteserkenntnis. Nach der Reinigung und der Absonderung von allem Unreinen hört der Gottesmann vielstimmige Trompeten und sieht vielfältige Lichter, die vielfältige Blitze aussenden, bis er ,,die Höhe der göttlichen Stufen des Aufstiegs" erreicht, am Ort ist, wo Gott ist. Bis hierher begleiten ihn Priester. ,,Und dann macht er sich los von allem, was gesehen werden und was man sehen kann und sinkt hinein in das wahre mystische Dunkel des Nichterkennens (εἰς τὸν γνόφον τῆς ἀγνωσίας εἰσδύνει τὸν ὄντως μυστικόν; ad caliginem ignorantiae intrat, quae caligo vere est mystica (Dionysiaca II, S. 577)[50] . . . und tritt ein in das gänzlich Unfaßbare, niemandem mehr, weder sich noch einem andern, angehörend, geeint mit dem gänzlich Unerkennbaren" (1000 C–1001 A). Was in der Traktateröffnung vom gotterfüllten Menschen schlechthin erbeten und erhofft wird, das ist hier als in einer heiligen Person bereits erfüllt dargestellt.

Daß das Eindringen in Gottes Dunkelheit aus der apophatischen Theologie herauswächst, wie schon die ὑπέρ-Bildungen und Verneinungen der bisher zitierten und referierten Passagen nahelegen, bestätigt und führt weiter aus Kap. II der MTh. ,,Daß uns diese überlichthafte Dunkelheit (ὑπέρφωτος γνόφος) zuteil werde, begehren wir, und durch Nichtsehen und Nichterkennen erkennen und sehen wir das, was über allem Sehen und Erkennen ist" (1025 A). Wie ein Repetitorium der Lehre von der positiven und negativen Theologie in DN mutet Kapitel III an. Das IV. und V. aber feiern in hohem Stil die Allursache (ἡ πάντων αἰτία 1040 D) als Nicht- und Übersein[51]. Von der engsten Zusammengehörigkeit von apophatischer Gotteserkenntnis und mystischer ,Schau' in der göttlichen Dunkelheit wird noch die Rede sein müssen.

---

[49] Sieh u. a. Völker, S. 90, 103, 203. Umfassende Belege, auch im historischen Umkreis, bei H. Koch (1900), S. 108–123; in negativer Akzentuierung Stiglmayr (1927), S. 205.

[50] Vgl. Exod. 20,21: Μωυσῆς δὲ εἰσῆλθεν εἰς τὸν γνόφον οὗ ἦ ὁ Θεός.

[51] Kap. V ist oben, S. 27, vollständig zitiert.

b) Man hat es immer wieder ausgesprochen, daß der Begriff des Mystischen bei Dionysius unbestimmt und vieldeutig sei. Man kommt zu diesem Resultat, wenn man die Stellen[52] auf ihre Bedeutung im jeweiligen Kontext untersucht. Die meisten dieser Belege haben in der Tat keine terminologische Prägnanz, sondern umschreiben Geheimnisvolles, Rätselhaftes, Verhülltes, Weihevolles. Wenn aber Dionysius eine Schrift 'Περὶ μυστικῆς θεολογίας' nennt, so ist im Rahmen der so bezeichneten Theologie jedenfalls der Anspruch eines terminus technicus erhoben. Dieser spricht nun doch wohl das Eigentliche der hier vorgetragenen Lehre aus, und das ist die Gotteserkenntnis und -erfahrung (beides ist nicht voneinander zu trennen) κατὰ τὸν γνόφον, in caligine, in der Dunkelheit. Die drei μυστικός-Belege in der MTh entsprechen dem sehr genau: In der Kernstelle I 1 spricht der Verfasser von μυστικοὶ λόγοι, durch die im „überhellen Dunkel" die Geheimnisse (μυστήρια) der Gotteslehre enthüllt werden, etwas später von den μυστικὰ θεάματα, um die Timotheus sich bemühen soll, und schließlich wird I 3 von Moses gesagt, daß er in γνόφον μυστικόν versunken sei. Dazu treten die θεῖναι μυσταγωγίαι I 2, die göttlichen Einweisungen im Bereich der Dunkelheit (1000 A). Ebenso präzis ist in Ep. IX 1 die παράδοσις ἀπόρρητος und μυστική, denn sie bezeichnet jenen Weg der Weisheit, den die MTh beschreibt.

Überwiegend bezeichnet γνόφος die göttliche Dunkelheit, lat. caligo: MTh I 1, 997 B, I 3, 1000 C, 1001 A; II 1025 B, III 1033 B; dazu Ep. V, 1073 A und DN VIII 2, 869 A. Diesen Belegen steht in derselben Bedeutung nur σκότος MTh I 1, 1000 A entgegen (bei den zwei weiteren σκότος-Belegen in MTh I 2, 1000 A und V 1048 A handelt es sich um ein Psalmzitat (17,12) bzw. den Gegensatz zum Licht). Umgekehrt ist σκότος Metapher für Unwissenheit und Sünde: DN IV 5, 700 D; IV 24, 728 A; Ep. I, 1065 A[53], EH III 6, 433 A, oder Gegensatz zum Licht: DN VII 2, 869 B. Dieser Befund erlaubt es, die göttliche Dunkelheit nur noch mit γνόφος, die übrigen Bedeutungen mit σκότος zu bezeichnen[54].

---

[52] Sämtliche Stellen im ‚Index complet' Dionysiaca II: μυστικός S. 1634 (27 Belege); dazu: μυσταγωγία S. 1594 (3 Belege), μυστήριον (30 Belege), μύστης (4 Belege); s. auch G. W. H. Lampe, A Patristic Greek Lexicon, Oxford [5]1978, S. 893f.; Daele, S. 98.

[53] Zwei Belege. Dazu erhellend Vanneste, S. 169f.

[54] Man kann bei Puech, S. 34ff., beobachten, in welche Schwierigkeiten die Nichtunterscheidung von γνόφος und σκότος führt. Der Verfasser muß so zum Schluß gelangen, „γνόφος ou σκότος chez Denys est un terme ambivalent qui revêt deux significations réciproques" (S. 36).

Zu unterscheiden von ‚Erkenntnis' in der göttlichen Dunkelheit ist die Beschauung. Es kann kein Zufall sein, daß Dionysius in der MTh von μυστικὰ θεάματα spricht, nicht von μυστικὰ θεωρία, die für das hierarchische Erkennen Gottes gilt. Sorglos, unbedacht, wie ihm immer wieder unterstellt wurde, hat Dionysius seine Begriffe keineswegs gesetzt. θεάματα als unterminologischer Begriff will eben nur anzeigen, daß das Geschehen in göttlicher Dunkelheit etwas mit unmittelbarer Erkenntnis, also mit der θεωρία zu tun hat, ohne mit ihr identisch zu sein.

Dieses darf als Ekstase verstanden werden, da laut der Kernstelle MTh I 1 das ,,Hervortreten" des Geistes zum ,,überwesentlichen Strahl des göttlichen Dunkels" führt. Dazu passen die zwei ἔκστα-σις-Belege in Ep. IX 5, die den Verlust der Sinne in der göttlichen Trunkenheit bezeichnen (1112 C). Man darf so das ,,mystische Dunkel" mit einer Erkenntnisweise verbinden, die aus dem Status des dem Menschen zukommenden Vermögens herausführt und in das Andere, das Göttliche, eintritt.

Dies aber bedeutet ἕνωσις, Einigung. In der MTh ist I 1 der einzige Beleg, während 48 den DN, 4 der CH und 8 der EH angehören[55]. Das heißt so viel, und die Belege bestätigen es, daß sich im ganzen Bereich der ,,Analogie", auf jeder Stufe der Vergöttlichung, ἕνωσις ereignet: Einigung ist hierarchisch bedingt, eine ἀνάλογη θέωσις (CH I 3, 124 A), die ἐπιστροφή selbst, der eigentliche Zweck der Hierarchie (CH III 2, 165 A). Von dieser Einigung in der Hierarchie unterscheidet sich die Henosis der MTh, die man die mystische nennen darf. Sie vollzieht sich plötzlich, entreißt den Gläubigen aller menschlichen Bedingungen, ist ein transintellektueller Akt.

Daß er sich auf Grund der hierarchischen Heiligung vollzieht, legt der Aufstieg des Moses in MTh I 3 nahe, wo der Reinigung die Erleuchtung und dieser der ‚Ort' Gottes folgt, der doch wohl mit ,,Vollendung" gleichzusetzen ist. Daraufhin Versinken im mystischen Dunkel. Daß Dionysius die hierarchische Vergöttlichung und die Henosis des mystischen Dunkels zusammensieht, darf so angenommen werden. Die Frage ist nur, ob der hierarchische Prozeß die notwendige Voraussetzung der ekstatischen Einigung ist. Das geht indes aus keiner Stelle des Corpus hervor, und das besagt immerhin,

---

[55] Dionysiaca II, 1590; zur Interpretation s. Vanneste, S. 183–200.

daß der strenge Systematiker Dionysius auf eine entsprechende Systemverknüpfung keinen Wert legte, d. h. die Vorstellung offen hielt, die ekstatische Henosis in jedem hierarchischen Status für möglich zu halten.

Es sollte deutlich geworden sein, daß das Begriffsgefüge der mystischen Theologie sich als konsistent erweist, sofern man diese ausgrenzt und nicht den Versuch macht, die dionysische Lehre schlechthin als ,,mystisch'' zu charakterisieren[56]. Daß das Abendland dies weitgehend getan hat, ist ein Resultat der Dionysius-Rezeption. Davon ist in einer historischen Darstellung die genuine Lehre des Dionysius wohl zu unterscheiden.

c) Eines steht indes fest und muß eigens thematisiert werden: Die mystische Theologie steht in unmittelbarem Zusammenhang mit der apophatischen Gotteslehre. Zunächst glaubt man freilich an die symbolische Theologie denken zu müssen[57], die der kataphatischen Gotteserkenntnis gleichzusetzen ist. Die göttliche ,,Dunkelheit'' – ist das nicht ein göttlicher ,,Name''? Unabhängig davon, daß ,,Dunkelheit'' formal als Metapher zu gelten hat, steht jedoch γνόφος in der MTh, wie aus den oben zusammengestellten Belegen hervorgeht, in singulärer Bedeutung. Nur hier ist Dunkelheit eine göttliche Erscheinungsweise, sonst immer ein Negatives: Finsternis des Unwissens und der Sünde. In Ep. 1 wird geradezu die apophatische Bedeutung von der Negativ-Metapher abgehoben[58]: ein wertvoller methodologischer Fingerzeig. Das ,,göttliche Dunkel'' steht so jenseits aller Namen, auch jenseits (um mit der Scholastik zu sprechen) der Transcendentalia, bezeichnet die Aseität des Göttlichen.

Mit besonderer Deutlichkeit stellt MTh II den Zusammenhang

---

[56] So z. B. Stiglmayr (1927) mit seiner Feststellung, ,,die ganze Heilsordnung mit all ihren Einrichtungen, Personen und Sachen (sei) mystisch'' (S. 205) und die MTh nur ,,ein Nachhall aus den mystischen Belehrungen . . ., die in den andern Schriften reichlich verbreitet sind'' (S. 162f.). Auch Puech ist der Ansicht, die MTh mit ihrer Vorstellung vom mystischen Dunkel sei für Dionysius nicht konstitutiv (S. 43 und 52), muß freilich ihre ungemeine Wirkung in der abendländischen Mystik zugeben (S. 53). Diese Sicht, verbunden mit der Perspektive der ,,katholischen'' Mystik, führt dann auch zu einer argen Verzeichnung der dionysischen Mystik.
[57] So betrachtet Puech die MTh als Verlängerung der symbolischen Theologie (S. 34).
[58] 1065 A, oben S. 36 zitiert.

zwischen apophatischer Gotteserkenntnis und der „Dunkelheit des Unerkennbaren" (I 3, 1001 A) heraus. Wir wünschen „durch Nichtsehen und Nichterkennen" „das über Sehen und Erkennen stehende Nichtsehen und Nichterkennen" „zu sehen und zu erkennen", und dies durch ἀφαίρεσις, Absprechen.

„Sehen" und „Erkennen" bezeichnen hier offensichtlich nicht mehr spezifische Vermögen, nicht ϑεωρεῖν und νοεῖν, sondern sind Chiffren für die „Erkenntnis" des schlechthin Transzendenten κατὰ τὸν γνόφον. ἀγνωσία, Nichterkennen, ist so ein Erkennen, dessen Modalität zwar nicht mehr zu bezeichnen ist, aber keineswegs Unwissenheit: deshalb wird die ‚Dunkelheit' hier ja auch als „überlichthaft" (ὑπέρφωτος γνόφος) angesprochen. Und kein Zweifel kann sein, daß dieses „Erkennen im Nichterkennen" eigentliches „Erkennen" ist, Erkennen in der ἕνωσις πρὸς Θεόν.

Das „überlichthafte Dunkel" kann von da aus weiter bestimmt werden. Es ist natürlich nicht falsch, es als „paradox" zu bezeichnen, nur führt der rhetorische Terminus technicus hier keineswegs zur Sache, sondern deckt sie eher zu[59]. Entscheidend ist, daß das „Überlicht" der apophatischen Theologie mit der Dunkelheit der Henosis zusammenfällt. Nicht als *coincidentia oppositorum,* weil es die Gegensätze Licht-Dunkelheit bei Dionysius weder auf der ontologischen noch der gnoseologischen Ebene gibt, sondern als eine schon immer vorhandene Koinzidenz. Das „überlichthafte Dunkel" ist bis zu Meister Eckhart der äußerste Versuch, Gottes absolute Transzendenz anzudeuten, und diesem Versuch gilt überhaupt die Aufgipfelung der dionysischen Theologie in der ‚Mystica theologia'. Mit Recht hat sie in der abendländischen Rezeption allergrößte Beachtung gefunden.

d) Immer wieder ist darauf hingewiesen worden[60], daß die Grundvorstellung der MTh von der göttlichen Dunkelheit, in der sich die Einung vollzieht, keine Parallele im neuplatonischen Denken hat. Sie ist, wie die Analyse gezeigt hat (zu I 3), aus der Exegese von Moses' Begegnung mit Gott auf dem Sinai (Exod. 19,9; 16–19; 20,18–21),

---

[59] Ich halte grundsätzlich die Verwendung rhetorischer Kategorien für theologisch-spirituelle Sachverhalte für problematisch. Sie bringen im eigentlichen Sinne „auf den Begriff", was der inhaltlichen Erklärung bedürftig ist. Dazu K. Ruh, Überlegungen und Beobachtungen zur Sprache der Mystik, in: Rainer Hildebrandt/Ulrich Knoop (Hgg.), Brüder-Grimm-Symposion zur historischen Wortforschung, Berlin–New York 1986, S. 24–39, bes. S. 27f., 37.

[60] Zuletzt Beierwaltes (1985), S. 149; früher u. a. Puech, S. 43.

kombiniert mit dem Gespräch Moses' mit Gott in der Wolke vor der Stiftshütte (Exod. 33,9–21), gewonnen. Das ist Anlaß, die biblische Komponente der mystischen Theologie des Dionysius genauer ins Auge zu fassen.

Hinzuzufügen ist dem MTh-Abschnitt I 3 und seiner Analyse, daß die hier vorliegende Deutung der Wolke (Exod. 19,9, νεφέλη, *caligine nubis;* 16 (νεφέλη, *nubis*); 20,21 (γνόφος, *caligo*) die traditionelle jüdische Interpretation der Wolke als Gegenstand eschatologischer Hoffnung (die in der Schilderung von der ,,Verklärung" Jesu auf dem Berge Tabor, Mc. 9,2–9, in christlicher Sicht zur Erfüllung kommt)[61], hinter sich läßt. Die Wolke wird mit Dionysius zum mystischen Dunkel und ,,Ort" der Ekstase.

Inwiefern der Areopagite in dieser Deutung den griechischen Vätern, besonders Gregor von Nyssa, verpflichtet ist[62], braucht an dieser Stelle nicht erwogen zu werden: entscheidend ist, daß es nicht die kappadozischen Väter, sondern Dionysius war, der – mit Augustin[63] – die mystische Interpretation dem Abendland vermittelt hat[64].

Neben Moses' Gottesschau – ob es eine Wesensschau gewesen ist oder nicht, war im ganzen Mittelalter umstritten[65] – wurde die Entrückung und Schau des Paulus vor Damaskus und seine Deutung durch den Apostel (Apost. 9,3–9; dazu 22,3ff.; 26,12ff.; 2 Kor. 12,2–4) zum eigentlichen Kronzeugentext christlicher Mystik. Schon Augustin sah im *raptus* des Paulus eine Wesensschau, und ihm

---

[61] Ich folge hier Ernst Lohmeyer, Die Verklärung Jesu im Markus-Evangelium, Zs. f. neutestam. Wissenschaft und die Kunde der älteren Kirche 21 (1922) 185–215, bes. S. 196 ff.

[62] Puech, S. 49–52; Völker, S. 215–217.

[63] Sieh ,De genesi ad litteram' XII c. 27.

[64] Siehe den Überblick über die MTh-Auslegungen bei Völker, S. 221–263. Die ,,mystische" Dunkelheit ist indes auch bei Mystikern des Hoch- und Spätmittelalters nicht schlechthinnige Regel des Verständnisses von Exodus 20,21. So kennt Meister Eckhart den Sprung in die göttliche Dunkelheit durch die Ekstase nicht. Sieh seine Auslegung von Ex. 20,21 in ,Expositio libri Exodi', n. 237 (LW II 195 f.) und in der deutschen Predigt Nr. 51 (DW II 476,3–477,2). In beiden Texten hebt die Erklärung auf den verborgenen, unerkennbaren Gott ab.

[65] Thomas von Aquin S. th. II/II q. 174, a.5 entschied sich unter Berufung auf Augustin für die Wesensschau (*vidit ipsam Dei essentiam*); abgelehnt wurde sie von Alexander von Hales, Hugo von St. Cher, Albertus Magnus, Bonaventura (U. von Balthasar im Kommentar der deutsch-lateinischen Ausgabe, Bd. 23, S. 366).

folgten (fast) alle mittelalterlichen Kirchenlehrer[66]. Da fällt schon auf, daß Dionysius als Lehrer der Ekstase die Paulinische Ekstase übergeht; er preist zwar (DN IV 13, 712 A) den ekstatischen Eros des „großen Paulus" – „ergriffen vom göttlichen Eros und in der Teilnahme seiner ekstatischen Macht" –, bezieht dies aber nicht auf die Entrückung vor Damaskus, sondern auf Gal. 2,20: „Ich lebe, aber nicht mehr ich, sondern Christus lebt in mir". Eine Erklärung dieser Leerstelle will nur eine Mutmaßung sein: Wie früher ausgeführt (S. 10ff.), ist der angebliche Apostelschüler in der Vergegenwärtigung der Apostelzeit und des Apostelmilieus sehr zurückhaltend. Er bietet einige fiktive Situationen wie in DN III 2, wagt es aber offensichtlich nicht, biblische Ereignisse wie des Paulus Rede auf dem Areopag (dessen Zuhörer er gewesen sein müßte) und dessen Entrückung vor Damaskus zu nennen oder gar zu kommentieren und damit sich in sie hineinzustellen. Als Psychologikum scheint mir dies verständlich.

Das kann nicht bedeuten, daß die Paulinische Christusmystik für ihn nicht wichtig gewesen ist – gerade die oben zitierte Stelle DN IV 13 besagt das Gegenteil –, er biegt sie freilich im Prozeß der „Hellenisierung" in Gottesmystik um[67]. Unter diesem Aspekt kann es dann auch nicht überraschen, daß er in Christi Erdenleben keine mystischen Ansätze sucht. Jesu „Verklärung" auf dem Berg Tabor (Mc. 9,2–9) bleibt – trotz der Wolke und dem Bezug zu Moses' Gottesschau – im ganzen Corpus unerwähnt.

Sollten uns die neutestamentlichen Elemente im Werke des Dionysius eher als dürftig erscheinen, so ist dies zu einem guten Teil durch die Optik unserer breiten und differenzierten Einblicke in die Spiri-

---

[66] Sieh von Balthasar (wie Anm. 65), S. 372–410, im Anschluß an S. th. II/II q. 175, mit ausführlichem Bezug auf die Tradition, besonders Augustin, ‚De genesi ad litteram' l. XII.

[67] Ich sage dies im Anschluß an Albert Schweitzers Buch ‚Die Mystik des Apostels Paulus', bes. Kap. XIII „Die Hellenisierung der Mystik Pauli durch Ignatius und die johanneische Theologie"; Dionysius kommt freilich weder hier noch sonst zu Wort. Doch wirkt die Art und Weise, wie Schweitzer die Paulinische Mystik beschreibt, wie eine konsequente Abgrenzung von Dionysius. In einem aber treffen sie sich: Auch Schweitzer ist die Christusvision vor Damaskus und dessen Bezeugung in 2 Kor. 12,2–4 gegen alle Tradition kein Zeugnis von Paulus' Mystik. Er geht nur einmal, S. 152f., darauf ein, indes im Kontext des Leidens und der Krankheit (epileptische Anfälle) des Apostels.

tualität der Evangelien und Paulusbriefe bedingt. Dionysius konnte darüber nicht verfügen. Auch trat ihm das Christentum bereits in einer stark „hellenisierten" Form entgegen, was ihm gar nicht bewußt gewesen sein dürfte, was indes wir über die Proklos-Rezeption hinaus seinem Denken und seiner Vorstellungswelt zuschreiben. Daß sich Dionysius als Christ im Sinne der Evangelien und des Paulus verstand, dürfte keinem Zweifel unterliegen. Er sprach dieses Christentum nur mit seinen Mitteln, denen eines gebildeten Griechen, aus. Für ein breites Publikum oder eine Stadtgemeinde waren diese Schriften anders als die Briefe des Paulus wohl nicht gedacht. Schon der Adressat, eine einzelne Person, läßt im Sinne des Areopagiten auf eine exklusive Empfängerschaft schließen; sie wird ja auch vom Verfasser wiederholt gefordert[68]. Daß das Corpus Dionysiacum dennoch Geschichte machte, ist zwar sicher kein „Zufall", den es im geschichtlichen Leben nicht geben dürfte, aber für unsern Blick doch ein letztlich unerklärbares Phänomen – wie es Person und Werk des Areopagiten trotz aller Deutungsversuche geblieben sind.

e) Da die MTh die Besonderheit des Dionysischen Stils in extremster Form entwickelt, seien an dieser Stelle einige allgemeine Bemerkungen zur S p r a c h e des Areopagiten vorgetragen[69].

Man kann den Sprachgebrauch des Dionysius als „barock", „unnatürlich", „dunkel", „verdrechselt", „orgiastisch" schelten – und man hat es, die Altphilologen an der Spitze, getan[70] –, nicht zu bestreiten ist die Einzigartigkeit und Unverwechselbarkeit dieses Idioms und gleichfalls nicht dessen Adäquatheit zur theologisch-spirituellen Aussage. Das heißt aber auch schon, daß es sich um einen originalen Stil handelt, der sich sowohl von demjenigen der alexandrinischen und kappadozischen Väter als auch der Neuplatoniker deutlich abgrenzt. Maximus Confessor (bzw. Johannes von Scythopolis[71]) hat ihn als erster bewundert und zu beschreiben versucht[72].

---

[68] Siehe oben S. 37f. und Anm. 49.

[69] Spezielle Untersuchungen müssen dem Gräzisten vorbehalten werden. – Die maßgebliche Studie über den Dionysischen Sprachgebrauch stammt vom Italiener Piero Scazzoso v. J. 1967 (s. Lit. Verz. zu II/III).

[70] Sieh Scazzoso, S. 31.

[71] Sieh unten, S. 51f.

[72] Scazzoso, S. 19–27.

Fast von selbst versteht sich, daß Dionysius über die Sprache nach-
gedacht hat[73].

Im letzten Kapitel der DN (XIII 4) erklärt er, wenn es ihm in
diesem Werke gelungen sei, tatsächlich an die Erklärung der göttlichen Namen heranzukommen, so sei dies das Verdienst des „Urhe-
bers alles Guten", der zuerst die Gabe des Sprechens und dann die
Gabe des guten Sprechens verleiht (981 C). „Gut sprechen" aber
bedeutet der Sache nach adäquates Sprechen: Der Verfasser hätte die
ihm überlieferten und von ihm erkannten Lehren dem Empfänger
(Timotheus) und heiligen Männern weiter vermittelt, und darin
würde er fortfahren, solange er fähig sei zu sprechen und jene zu
hören, ohne die vernommene Lehre in irgendeinem Punkte zu än-
dern (984 A). Empfangenes in der Vermittlung unverändert weiter-
geben meint hier offensichtlich nicht, eine Sache adäquat in Sprache
umsetzen, sondern ein bereits sprachlich Geformtes in der Weiterga-
be zu bewahren. Auf Gott bezogen dürfte dies wohl heißen, daß die
Wahrheit der Sache auch schon die Wahrheit ihres sprachlichen Zei-
chens ist.

Eine weitere Aussage des Dionysius über die Sprache findet sich
DN IV 11. Ausgangspunkt ist der Gebrauch des Wortes ἔρως, der im
biblischen Kontext befremden könnte. Man glaube ja nicht, versi-
chert der Autor, daß die Verwendung dieses Begriffs gegen die Heilige Schrift verstoße. Denn er beurteile es als absurd und töricht,
zugunsten des wörtlichen Ausdrucks die Bedeutungsnuancen nicht
zu beachten. Das trifft für diejenigen zu, die nur den leeren Wort-
klang vernehmen und weder die Bedeutung dieses oder jenes Ausdrucks wissen wollen noch darauf abheben, einen Begriff durch Syn-
onyme zu erhellen. Unverkennbar sei jedoch: „Solange der Geist
sich noch bemüht, mittels der sinnenfälligen Dinge zu der intelligiblen Welt zu gelangen, sind die klareren Vermittlungen durch die
Sinne, die deutlicheren Worte, die schärfer umrissenen Gegenstände
des Geschauten durchaus vorzuziehen" (708/710).

Diese sprachpraktischen Ausführungen sind nicht ohne weiteres
mit der Theorie der Einheit von Sache und Sprache zu vereinbaren,
wie sie die Bemerkungen in DN XIII 4 nahelegten. Ist jedoch hier
von der aufsteigenden Erkenntnis „mittels der sinnenfälligen Dinge"

---

[73] Die wichtigsten Stellen bei Scazzoso, S. 17–19.

die Rede, so geht es dort um von Gott geoffenbarte Wahrheiten. Sofern der Mensch im Spiegel sinnlicher Vorstellungen zur Gotteserkenntnis gelangen will, steht ihm die Wahl der Bezeichnung frei, und der Verfasser plädiert für einen klaren, nuancierten Ausdruck, den er abhebt von der planen Sprachgebung anderer Schriftsteller und der das Intelligible im Sinnlichen ahnen läßt. Es scheint mir hier eine Rechtfertigung der ungewöhnlichen und wohl schon von Zeitgenossen gescholtenen Wortwahl und sprachlichen Diktion des Dionysius vorzuliegen.

Mit Recht wurden die Elemente superlativischen Sprechens als das eigentliche Kennzeichen Dionysischer Rede herausgestellt[74]. Dazu gehören nicht nur die grammatikalischen Superlative, sondern das Beziehungswort erhöhende und steigernde Adjektive wie ἄγατος, ἅγιος (mit 25 Superlativformen), ἄκρος (mit 11 Superl.), θεῖος (mit 60 Superl.), θεοειδής (mit 13 Superl.), ἱερός (mit 34 Superl.). Sie gehen regelmäßige Verbindungen ein mit erhabenen Begriffen und Namen wie εὐχαριστία, οὐσία, Τρίας, Ἰησοῦς, Σεραφίμ usw.

Geschichte gemacht haben aber besonders die ὑπέρ-Bildungen (s. o. S. 28 f.). Sie transzendieren sozusagen die nominale Aussage über das Sagbare hinaus, lassen die Apophase ins unendlich Positive umschlagen und etablieren intentional so etwas wie eine Metasprache. Noch einmal sei, nunmehr als Paradigma superlativischen Sprechens, der Anfang der MTh zitiert, jetzt im griechischen Wortlaut[75]:

Τριὰς ὑπερούσιε
 καὶ ὑπέρθεε
 καὶ ὑπεράγαθε
τῆς Χριστιανῶν ἔφορε θεοσοφίας,
ἴθυνον ἡμᾶς ἐπὶ τὴν τῶν μυστιχῶν Λογίων ὑπεράγνωστον
 καὶ ὑπερφαῆ
  καὶ ἀκροτάτην κορυφήν,
ἔνθα τὰ ἁπλᾶ καὶ ἀπόλυτα καὶ ἄτρεπτα τῆς θεολογίας μυστήρια
 κατὰ τὸν ὑπέρφωτον ἐγκεκάλυπται
  τῆς κρυφιομύστου σιγῆς γνόφον,
  ἐν τῷ σκοτεινοτάτῳ τὸ ὑπερφανέστατον ὑπερλάμποντα
 καὶ ἐν τῷ πάμπαν ἀναφεῖ καὶ ἀοράτῳ
  τῶν ὑπερκάλων ἀγλαΐων ὑπερπληροῦντα τοὺς
   ἀνομμάτους νόας.

---

[74] Am umfassendsten von Scazzoso, S. 35–46.
[75] Ich zitiere nach der satzrhythmischen Edition von Vanneste, S. 226.

„Überwesentliche, übergöttliche und übergute Dreieinigkeit, Leiterin der Theosophie der Christen, führe uns auf den über alle Erkennbarkeit erhabenen, im Überlicht
strahlenden höchsten Gipfel der mystischen Erkenntnisse, dorthin, wo die einfachen,
unverhüllten und unwandelbaren Geheimnisse der Theologie im überhellen Dunkel
des geheimnisumhüllten Schweigens enthüllt werden, Geheimnisse, die in ihrem Finstersten das Überhellste überstrahlen und im gänzlich Unfaßbaren und Unsichtbaren,
mehr als der überschönste Glanz es vermag, die augenlosen Geistwesen erfüllen".

Nicht weniger als 10 ὑπέρ-Bildungen, einem Cantus firmus nicht
unähnlich, zeichnen diesen Eröffnungssatz in seiner unvergleichli-
chen Aufwärtsbewegung aus, aber sie sind nur die Spitzen superlativischen Sprechens. Hinzu treten die Superlative ἀκρότατος, τὸ σκο-
τεινότατον, τὸ ὑπερφανέστατον, sowie die α-privativum–Formen
ἀπόλυτος, ἄτρεπτος, ἀναφής, ἀόρατος, die in ihrer ausschließenden
Funktion gleichfalls Superlativqualität besitzen[76].

ὑπέρ- und andere transzendierende Sprachelemente[77] bilden Composita, die als solche eine weitere Großkategorie des Dionysischen
Sprechens bilden. Ungemein zahlreich und hier besonders in Zusammensetzungen mit Präfixen, bewirken sie einen schweren, ausladen-
den, aber rhythmisch bewegten Sprachduktus. Es ist vor allem die
Häufung der Composita, die man wiederholt als „barock" glaubte
bezeichnen zu müssen.

Von den Präfixbildungen überwiegen neben den in Anm. 77 genannten ἀπό-, ἄρχι-, ἐκ-, μετά-, περί-, πρός-, σύν-; nicht wenige
dieser Composita sind nur im CD belegt (*).

Einige Beispiele: ἀπό-: *ἀπόκαρσις (tonsura), ἀποκατάστασις (re-
volubilitas, reversio), ἀποκλήρωσις (pars, partitio), *ἀπολίσθησις (per-
ditio), ἀπόφατις (depulsio, negatio);

ἄρχι-: *ἀρχισύμβολον (principale symbolum[78]), *ἀρχίφως (principa-
lis lux);

ἐκ-: *ἐκμάθητις (disciplina), ἔκστασις (exstasis, excessus), *ἐξου-
σιότης (potestas);

μετά-: *μετάδοσις (traditio), μετοχή (participium, participatio, parti-
ceps, participans), μετουσία (participatio);

---

[76] Weitere Beispiele bei Scazzoso, S. 42f.

[77] Scazzoso, S. 41f., nennt Bildungen mit παν-, ἀρχ-, ὁλο-, πρωτο-, ἀει-, αὐτο-,
πολυ-.

[78] Hier und i.f. biete ich als Interpretamente die Übersetzung des Eriugena (nach
den Dionysiaca). Stellennachweise im griechischen Index Dionysiaca II, 1585ff.

περί-: *περάτωσις (consumatio), *περιέλξις (ambitus), *περικάλυ-ψις (circumvelamen), περιουσία (magnitudo);

πρός-: προσαγωγή (processio, accessus, accessio, abductio), *προσ-αγωγικός (ductivus, praelatus), *πρόσυλος (materialis);

σύν-: συναπτικός (comprehensivus), συνέλεξις (conversio, ambitus, convolutio), *συνεργεία (cooperatio).

Neben den häufigen Composita bestimmen Konzentrationen gleicher Elemente den Dionysischen Satzduktus. Ich nenne sie Kumulationen, und sie können aus Satzgliedern wie ganzen Nebensätzen formiert werden. Thomas von Aquin mochte sie im Auge gehabt haben, als er von einer häufigen *multiplicitas verborum* des Dionysius sprach, die überflüssig erscheine, jedoch sich den sorgfältigen Beobachtern als große Tiefe des Gehalts erschließe[79].

Noch einmal kann uns der Eröffnungssatz der MTh als Beispiel dienen (s. o. S. 47):

Der Satz beginnt mit einer Kumulation feiernder Attribuierungen der Τριὰς (ὑπερούσιε καὶ ὑπέρθεε καὶ ὑπεράγαθε) und leitet mit der Satzaussage („führe uns") zu einer neuen Kumulation hin, die dem ‚Vollzugsort' des Mysteriums gilt (ἐπὶ τὴν ... ὑπεράγνωστον καὶ ὑπερφαῆ καὶ ἀκροτάτην κορυφήν). Die Häufung attributiver Bestimmungen setzt sich im anschließenden Satzteil fort (τὰ ἁπλᾶ καὶ ἀπόλυτα καὶ ἄτρεπτα ... μυστήρια – ἐν τῷ πάμπαν ἀναφεῖ καὶ ἀοράτῳ), die alle die μυστήρια des überhellen Dunkels vergegenwärtigen. Der folgende Kurzsatz Ἐμοὶ μὲν οὖν ταῦτα ηὔχθω· ‚Dies sei mein Gebet', wirkt wie ein Pausenzeichen, ein Atemholen.

So sehr des Dionysius theologisch-spirituelle Darlegungen im Intellekt ihren Sitz haben, die sprachliche Vermittlung erfolgt nicht diskursiv und argumentierend. Vielmehr stellt er seine Gegenstände beschreibend, feiernd, ja beschwörend vor. Er folgt dabei ihren Eigenbewegungen, und die sind zirkulär. „Die Bewegung der göttlichen Intelligenzen ist kreisförmig" (κυκλικῶς) (DN IV 8, 704 D), und das gilt auch für die Seele (DN IV 9, 705 A). So ist auch die Sprachbewegung der Dionysischen Rede kreisend-umkreisend zu nennen. Es ist dies sowohl ein Betrachten in wechselnder Perspektive wie eine Annäherung. Beides kommt nicht zur Ruhe, nicht „auf den Begriff". Gott und seine Manifestationen bleiben unerforschlich.

---

[79] Expositio in librum b. Dionysii de divinis nominibus, Librum Prooemium p. 2.

IV. Der Einstand des Corpus Dionysiacum im Abendland

Literatur:

Joseph Stiglmayr S.J., Das Aufkommen der Pseudo-Dionysischen Schriften und ihr Eindringen in die christliche Literatur bis zum Laterankonzil 649, in: 4. Jb. d. ö. Privatgymnasiums an der Stella Matutina zu Feldkirch, Feldkirch 1895, S. 3–96.

H. Omont, Manuscrit des œuvres de S. Denys l'Aréopagite envoyé de Constantinople à Louis le Débonnaire en 827, Revue des Études Grecques 17 (1904) 230–236.

Martin Grabmann, Die mittelalterlichen lateinischen Übersetzungen der Schriften des Pseudo-Dionysius Areopagita, in: M. G., Mittelalterliches Geistesleben I, München 1926, S. 449–468.

P. Gabriel Théry O. P., Scot Érigène, traducteur de Denys, Arch. Latinitatis Medii Aevi (Bulletin Du Cange) 6 (1931) 185–280.

ders., Études Dionysiennes, I. Hilduin, traducteur de Denys; II. Edition de sa traduction (Études de Philosophie Médiévale 16,19), Paris 1932/1937.

ders., Scot Érigène, introducteur de Denys, The New Scholasticism 7 (1933) 91–108.

ders., Jean Sarrazin, ,traducteur' de Scot Érigène, in: Studia medievalia, in honorem Raymundi Josephi Martin O. P., Brügge 1949, S. 359–381.

ders., Documents concernant Jean Sarrazin, Archives d'Histoire Doctrinale et Littéraire du Moyen Age 25/26 (1950/1951) 45–87.

Ezio Franceschini, Roberto Grossatesta, vescovo di Lincoln, e le sue traduzioni latine, Atti del R. Istituto Veneto di Scienze: Lettere e Arti 93/2 (1933/34) 1–138, wieder abgedruckt in: E. F., Scritti di filologia latina medievale II (Medioevale e Humanesimo 27), Padua 1976, S. 409–544 [zit.].

Philippe Chevallier, Dionysiaca I/II (s. o. S. 4), bes. I Introduction, S. LXV–XCII.

Hans Urs von Balthasar S.J., Das Scholienwerk des Johannes von Scythopolis, Scholastik 15 (1940) 16–38.

Saint Denis, premier éveque de Paris, in: Vie des Saints et des Bienheureux, par les RR. PP. Bénédictins de Paris, X (octobre), Paris 1952, p. 270–288.

H. Weisweiler S.J., Die Ps.-Dionysiuskommentare ,In Coelestem Hierarchiam' des Skotus Eriugena und Hugos von St. Viktor, Recherches de Théologie ancienne et médiévale 19 (1952) 26–47.

H. F. Dondaine O. P., Le Corpus Dionysien de l'Université de Paris au XIIIᵉ siècle (Storia e Letteratura. Raccolta di Studi e Testi 44), Roma 1953.

Denis Areopagite, DAM III (1957), Sp. 318–386.

Werner Beierwaltes, Johannes von Skythopolis und Plotin, in: F. L. Gross, Studia Patristica 11 (Texte und Untersuchungen zur Geschichte der altchristlichen Literatur 168), Berlin 1972, S. 3–7.

René Roques, Traduction ou interprétation? Brèves remarques sur Jean Scot traducteur de Denys, in: The Mind of Eriugena, Papers of a Colloquium Dublin, 14–18 July 1970, ed. by John J. O'Meara and Ludwig Bieler, Dublin 1973, p. 59–77. Walter Berschin, Griechisch-Lateinisches Mittelalter. Von Hieronymus zu Nikolaus von Kues, Bern–München 1980.

Vorbemerkung. Dieses Kapitel ist nicht als Skizze einer Wirkungsgeschichte des Dionysius im Mittelalter gedacht. Ich verfolge, nach der Nennung der ersten Zeugnisse seitens der Päpste im byzantinischen Zeitalter Roms, einzig die Basis der Dionysius-Rezeption, nämlich die Übertragungen seiner Schriften und das, was unmittelbar als kommentierende ‚Anlagen' zu ihnen gehört.

1.

Als die Severianer 533 beim Religionsgespräch von Konstantinopel versuchten, die Schriften des Areopagiten zur Geltung zu bringen, hatten sie keinen Erfolg. Der Zeitgenosse und Schüler des Paulus erschien dem leitenden Bischof Hypatius von Ephesus unglaubwürdig. Aber schon vorher, ,,vor 530'', fand Dionysius in Johannes von Scythopolis, einem bedeutenden Gelehrten, einen beredten Fürsprech. Er verteidigt den Areopagiten gegen offensichtlich bereits zirkulierende Vorwürfe, ein Fälscher und von zweifelhafter Rechtgläubigkeit zu sein, und preist dessen erhabene Theologie. Dies im Prolog zu Scholien, die des Dionysius Schriften zu erklären unternehmen[80]. Er tut dies als vortrefflicher Plotin-Kenner und bringt so, wie Beierwaltes nachgewiesen hat, gleich zu Beginn der Dionysius-Kommentierung das neuplatonische Element vorrangig zur Geltung. Erfolg war zunächst, so viel wir sehen, diesen Erklärungen und dem Votum für den Autor des CD nicht beschieden[81] – bis, mehr als ein Jahrhundert später, Maximus Confessor († 662) die Scholien des Johannes von Scythopolis übernahm und mit anderen und eigenen ergänzte; doch bleibt der Beitrag des Johannes ,,der weitaus bedeu-

---

[80] PG 4, Sp. 16–21 C. Zur Autorschaft sieh von Balthasar, der das Vorwort rekapituliert und würdigt (S. 24 f.). Das gesamte Scholienwerk Sp. 15–576.

[81] Immerhin stellt sich die Frage: Wem verdankt Gregor der Große (von dem gleich die Rede sein wird) seine Dionysius-Kenntnisse? Der Areopagite muß also doch im späten 6. Jahrhundert in kirchlichen Kreisen Konstantinopels bekannt gewesen sein. Auf diesen Spuren stößt man immerhin auf die rühmende Dionysius-Nennung durch Leontios von Byzanz (DAM III 300).

tendste Anteil" des Scholienwerks[82], das, unter dem Namen des Maximus, seinen erfolgreichen Gang im okzidentalen Mittelalter antreten wird. Die Autorität des Confessors war es übrigens auch, die den Durchbruch des Dionysius in der Ostkirche bewirkte[83].

Im Westen waren es zuerst einige Päpste, die Dionysius als kirchliche Autorität in Anspruch nahmen. Gregor der Große nennt ihn *antiquus videlicet et venerabilis Pater* und verwertet die Engellehre der ,Himmlischen Hierarchie' in der i.J. 593 gehaltenen 34. Homilie, n. 7–14, über die Evangelien[84]. Er mochte während seines Aufenthaltes als Apokrisiar in Byzanz (579–585) von Dionysius und seinem Werk gehört haben. Auch ist nicht unwahrscheinlich, daß er es war, der den später in der päpstlichen Bibliothek verfügbaren Dionysius-Codex nach Rom brachte. Andererseits hat sein kirchlich-politischer Gegensatz zur byzantinischen Reichskirche zu einer zumindest reserviert zu nennenden Haltung gegenüber dem sonst bewunderten Griechischen geführt: Er ließ den Brief einer vornehmen Dame aus Konstantinopel unbeantwortet, weil er griechisch geschrieben war und Madame doch Latein konnte[85]! Von Papst Martin I., der griechisch gesprochen haben soll[86], wissen wir, daß er sich während des Laterankonzils i.J. 649 den *codex Sancti Dionysii episcopi Athenarum* herbeiholen und mehrere, u. a. die Frage des Monophysitismus betreffende, Stellen vorlesen und ins Lateinische übersetzen ließ[87]. Im Jahre 680 entnahm der gleichfalls des Griechischen mächtige Papst Agathon den Abschnitt DN II 5 über die göttlichen Hypostasen für ein Schreiben an das Sechste Ökumenische Konzil in Konstantinopel[88]. Dionysius kommt auch zu Wort auf dem 2. Konzil von Nicea i.J. 787 durch Papst Hadrian: 791 schreibt dieser an Karl den Großen zum Bilderstreit und beruft sich auch hier auf Dionysius[89].

---

[82] von Balthasar, S. 37, der den Bestand der Scholien des Johannes ziemlich genau ausgegrenzt hat (S. 26–37).

[83] Zur Rezeption des Dionysius im Osten sieh den Überblick in DAM III 286–318.

[84] PL 76, Sp. 1249–1255; das Zitat Sp. 1254. Diese Partie der Predigt wird später öfter zitiert; sieh DAM III 320.

[85] Zitiert bei Berschin, S. 39.

[86] So Théry (1931), S. 204; Berschin, S. 115, betont indes, daß Martin I., im Gegensatz zu seinem Vorgänger Theodor I., kein Griechisch konnte.

[87] Dokumentation Dionysiaca I, S. LXVI–LXX.

[88] Ebd., S. LXX.

[89] Ebd., S. LXXIIf.

Schon Karls Vater, Pippin, wurde von Rom aus auf den Areopagiten verwiesen: Papst Paul I. schickte ihm um das Jahr 758 eine Reihe griechischer Bücher, darunter solche *Dionysii Areopagitis*[90]. Das sind alles zwar Erwähnungen von höchster Autorität an höchster Stelle – der Areopagite war so etwas wie eine theologisch-kanonistische Geheimwaffe der Päpste des 7. und 8. Jahrhunderts –, aber von einer eigentlichen Dionysius-Rezeption in Theologie oder gar Spiritualität kann noch keine Rede sein. Diese begann erst in der ersten Hälfte des 9. Jahrhunderts, und mit einem herausragenden Ereignis.

2.

Im September des Jahres 827[91] begab sich eine Gesandtschaft des byzantinischen Kaisers Michael II. des Stotterers an den karolingischen Hof Ludwigs des Frommen in Compiègne. Als kostbarstes Präsent wurde dem Kaiser eine prächtig ausgestattete griechische Handschrift mit dem Corpus Dionysiacum überreicht. Sie ist erhalten im Codex graecus 437 der Pariser Nationalbibliothek. Was veranlaßte die kaiserliche Botschaft zu diesem Geschenk? Doch wohl nicht der Wunsch, Dionysius der Westkirche näher zu bringen, ihn dieser als 'Vater' und 'Autorität' zu empfehlen, sondern im Hinblick auf den heiligen Märtyrer Dionysius, den ersten Bischof von Paris, dessen Identität mit dem Areopagiten von kirchlicher und staatlicher Seite propagiert wurde. Das kann nach dem, was wir über die erste Bekanntschaft mit dem Werk des Dionysius im päpstlichen Rom und am kaiserlichen Hof gehört haben, nicht mehr überraschen, und das Folgende bestätigt es: Der griechische Dionysius-Codex wurde bald nach der Entgegennahme in Compiègne dem Abt von Saint Denis, Hilduin, übergeben und bewirkte in der Abteikirche an den Vigilien zum Jahresfest des Heiligen am 8. Oktober – programmgemäß, ist man versucht zu sagen – 19 Heilungen. Mit diesen Wundern war die Identität des Pariser Bischofs mit dem Griechen und Aposteljünger praktisch erwiesen. Dionysius, der Areopagite und Pariser Märtyrerbischof, wurde neben Martin zum Schutzpatron des Königreichs.

---

[90] Ebd., S. LXX; Théry (1932), S. 1–3.
[91] Zum Folgenden Théry (1932), S. 4–9.

Nach Gregor von Tours (Hist. Francorum I 31) wurden unter Kaiser Decius, um 250, sieben Bischöfe als Missionare nach Gallien geschickt, darunter Dionysius (Denis) nach Paris. Er erlitt dort den Märtyrertod auf dem *vicus Catulliacus* (heute Saint Denis). Diese Vita, bereits hagiographisch ausgebaut, verband nun Hilduin mit Lebensdaten des Areopagiten und schuf so die im Mittelalter maßgebliche Dionysius-Vita: ‚Passio Sanctissimi Dionysii' in 36 Kapiteln[92].

Hilduin konnte, wenn er die Passio des Pariser Bischofs ins 1. Jahrhundert vorverlegte, die Einheitsvita durch bloße Addition und mit wenigen Zutaten gewinnen. Er entwarf mit Hilfe der Apostelgeschichte, zumal c. 17,15–34 (Paulus in Athen) und aus den Episteln des Areopagiten gewonnenen Daten eine ‚Frühgeschichte' des Heiligen: Nach einer lebhaften Schilderung Athens und Griechenlands läßt er Paulus nach Athen kommen, wo er dem Vorsitzenden des Areopags, Dionysius, begegnet und zum Christentum bekehrt. Aus dessen früherer Zeit wird die Beobachtung der Sonnenfinsternis bei Christi Tod zusammen mit Apostophanes im ägyptischen Heliopolis (Ep. VII) berichtet. Nachdem Paulus einem Blindgeborenen das Augenlicht geschenkt hat, läßt sich Dionysius zusammen mit Damaris (Apost. 17,34), die als seine Gattin ausgegeben wird, taufen. Er folgt dann Paulus nach Thessalonike, wo er zum Antistes geweiht wird. Hier gibt der Hagiograph ihm Zeit und Muße, seine Schriften zu schreiben. Dabei nimmt Hilduin die Gelegenheit wahr, sie nicht nur zu nennen, sondern ausführlich zu referieren (c. IX–XII), wobei besonders die biographisch ergiebigen Briefe zu Wort kommen. Später wird Dionysius Bischof von Athen, reist aber Paulus nach, der mit Petrus in Rom den Märtyrertod erleidet. Jetzt kann die Geschichte des Areopagiten nahtlos in diejenige des Märtyrers übergeführt werden. Von Papst Clemens zur Missionierung nach Gallien entsandt, wird er der erste Bischof von Paris und erleidet auf dem Mons Mercurii, der zum Mons Martyrum (Mont Martre) wird, den Märtyrertod durch Enthauptung, worauf er seinen Kopf bis zum *vicus Catulliacus* trägt, woselbst er begraben wird. Über seinem Grab wird durch den persönlichen Einsatz der hl. Genoveva die erste Saint-Denis-Kathedrale errichtet.

Dies ist die hagiographisch-kirchengeschichtliche Wirkung des byzantinischen Kaisergeschenks. Von noch größerer Bedeutung ist deren theologie- und frömmigkeitsgeschichtliche Ausstrahlung.

Abt Hilduin ließ zwischen 832 und 835 mit Hilfe griechischer Emigranten (deren es damals viele gab), eines Vorlesers, eines Übersetzers und eines Schreibers[93], die dionysischen Schriften ins Lateinische übertragen[94]. Dies ist der Beginn des beispiellosen Siegeszuges des

---

[92] PL 106, Sp. 23–50; Prolegomena dazu Sp. 13–24.

[93] Diese differenzierten Angaben verdanken wir den scharfsinnigen Untersuchungen von Théry (1932), S. 123–142.

[94] Hg. von Théry (1937); Dionysiaca (Synopse).

Areopagiten im abendländischen Mittelalter[95]. Zum Teil läßt er sich ablesen an der weiteren Geschichte des lateinischen Corpus Dionysiacum.

3.

Ein Menschenalter nach Hilduins Übersetzung, um, eher nach 860[96], verfertigte Johannes Scotus Eriugena, der große irische Gelehrte und Denker am Hofe Karls des Kahlen, im Auftrag seines sehr gebildeten Dienstherrn, der die Arbeit Hilduins und seiner Mitarbeiter als beinahe unverständlich bezeichnete, eine neue Dionysius-Übertragung[97]. Sie beruht wiederum auf dem Codex der byzantinischen Gesandtschaft, dem Cod. graec. 437 der Pariser Nationalbibliothek, benutzt aber auch die Hilduinsche Version. In seinem Widmungsbrief[98] („Valde quidem admiranda"[99]) bringt Eriugena zum Ausdruck, daß er nicht alle Schwierigkeiten habe überwinden, nicht alle Dunkelheiten erhellen hönnen. Er selbst sieht die Hauptschwierigkeit der Übertragung im Charakter des Dionysischen Corpus. Er nennt es „ein, wie wir meinen, äußerst ausgreifendes Werk, das weit abliegt von der heutigen Denkart, vielen unzugänglich, wenigen zugänglich ist, und dies nicht wegen seines Alters, sondern zumal wegen der himmlischen Erhabenheit seiner Geheimnisse"[100]. Zu bedenken ist auch das Fehlen einschlägiger Hilfsmittel. Zwar gab es grie-

---

[95] Berschin betont auch die Bedeutung des Dionysius-Studiums für das Griechische. „Um ihn lesen und verstehen zu können, ist tatsächlich immer wieder Griechisch studiert worden... Nicht Homer, sondern Dionysios war für das lateinische Mittelalter der „Seher", um dessentwillen es sich lohnte, sich mit dem Griechischen einzulassen" (S. 62f.).

[96] Zur Datierung sieh Théry (1931), S. 189–192.

[97] PL 122, Sp. 1035–1194; Dionysiaca (Synopse).

[98] Théry (1932), S. 63–100.

[99] PL 122, Sp. 1031–1036; MGH Epistolae VI (Ep. Karolini Aevi IV), S. 158–161.

[100] PL 122, Sp. 1031 Df.; Dionysiaca I, S. LXXIV; Ep. (Anm. 99), S. 159, 8–10. – Théry (1931), S. 274f., betont zusätzlich die Schwierigkeit der griechischen Unzialschrift ohne Worttrennungen und Akzente. Wir können dieses Argument vergessen im Wissen, daß alle griechischen Manuskripte des Abendlandes so geschrieben waren (Berschin, S. 42), Théry macht doch wohl unsere Schwierigkeiten im Lesen griechischer Handschriften zu derjenigen mittelalterlicher Benutzer.

chisch-lateinische Glossare; sie waren indes auf klassische und biblische Texte beschränkt und nicht in der Lage, das Dionysische Voka-
bular gerade in seinen Besonderheiten zu erschließen[101].

Die Kenntnis des Griechischen[102] waren zwar im 9. Jahrhundert im Vormarsch,
aber auf wenige Zentren, Irland, Saint Denis-Paris und namentlich Rom, das vom 7.
bis zum 11. Jahrhundert griechische Klöster besaß, beschränkt. Eriugena brachte bestimmt Anfangskenntnisse von Irland mit, die er in Frankreich, wo er von 845 an
wirkte, ausbaute. Jedenfalls muß er für seine Zeit herausragende Kenntnisse des Griechischen besessen haben, anders hätte ihm Karl der Kahle nicht eine so anspruchsvolle
Aufgabe, wie es eine Dionysius-Übersetzung war (und immer noch ist), anvertraut.

Nach der Dionysius-Übertragung wandte sich Eriugena, hingeris-
sen, wie es scheint, von der Welt, die sich ihm mit dem CD auftat,
ganz der Tradition der griechischen Väter zu. Er verfaßte einen
Kommentar zu der CH[103] und übersetzte die ‚Ambigua' des Maximus Confessor, ,,eine höchst schwierige Arbeit", wie Eriugena dem
König im Vorwort schreibt[104]. Durch dieses Studium zusätzlich ge-
rüstet, soll er, nach Dondaine, die Dionysius-Übertragung revidiert
haben (Fassung T), und in solcher Gestalt hätte sie der Bibliothekar
der römischen Kirche, Anastasius, kennengelernt[105].

Dieser, ein versierter Kenner des Griechischen, sparte nicht mit (in
Bewunderung eingepackter) Kritik. In einem Schreiben an Karl den
Kahlen (‚Inter cetera studia')[106] v. J. 875 beanstandete er in der Über-
tragung dieses ,,Barbaren" die Unzulänglichkeiten der Wort-für-
Wort-Entsprechungen, die Eriugena in der Tat – wohl nicht aus
Ängstlichkeit, aber um die ‚Patina' des Urtextes zu erhalten – prakti-
zierte, und schickte sich an, mit Hilfe von Randbemerkungen den
Text zu verbessern. Besonders wichtig war dabei die Heranziehung

---

[101] Zu den griechisch-lateinischen Vokabularien s. Théry (1931), S. 193–202; Berschin, S. 43 f.

[102] Sieh Théry (1931), S. 202–224; Edouard Jeauneau, Jean Scot Érigène et le Grec,
Arch. Latinitatis Medii Aevi 41 (1979) 5–50.

[103] PL 122, Sp. 125–266; Jeanne Barbet (Ed.), Expositiones in Ierarchiam coelestem
(CC. Cont. Med. 31), Turnhout 1975.

[104] PL 122, Sp. 1195; MGH Epistolae VI (Ep. Karolini Aevi IV), S. 162,2. – Ausgabe: PL 122, Sp. 1193–1222.

[105] Dondaine, S. 35–50, 59–64; ein sehr ansprechendes Miniaturportrait des gelehrten und einflußreichen Mannes bietet Berschin, S. 198–204.

[106] PL 122, Sp. 1025–1030; MGH, Epistolae VII (Ep. Karolini Aevi V), S. 431–434
[zit.]; vgl. auch den folgenden an Karl den Kahlen gerichteten Brief, S. 435 f.

der Scholien des Maximus bzw. des Johannes von Scythopolis – Anastasius nennt, gut informiert, beide Namen (432,21 f.) –, die er auszugsweise ins Lateinische übertrug und deren Divergenzen mit dem Dionysius-Text er zu beheben versuchte. Auch Eigenes fügte er hinzu: *ex me quoque . . . paucissima quaedam . . . interposui* (432,25 ff.).

4.

In dieser Gestalt trat das lateinische CD seinen Weg durch die Jahrhunderte an. Dabei wiederholte sich im 12. Jahrhundert das text-kritische und kommentierende Verfahren des Anastasius. Dionysius tritt nunmehr in die Glanzzeit seiner Wirkung ein. Das Zeitalter, das mit Recht als ,,Renaissance" der Wissenschaft gepriesen wird, brach-te eine lebhafte Erneuerung der Dionysius-Studien mit sich, die man als eine der offensichtlichsten Manifestationen eben dieser neuen Wissenschaftlichkeit bezeichnen kann. Was im besonderen die Grie-chisch-Studien betrifft, so sind sie ungewöhnlich intensiv.

Gegen Ende seines Lebens († 1141) schrieb Hugo von St. Viktor seine ,Commentaria in Hierarchiam coelestem S. Dionysii Areopagi-tae'[107]. Er wollte mit seinen Erklärungen, die auf der von ihm lebhaft kritisierten[108] Übersetzung des Eriugena beruhen, ein besseres Ver-ständnis des schwierigen Textes erreichen. Weiterarbeit am Eriuge-na-Text verfolgte ebenfalls der in der Mitte des Jahrhunderts entstan-dene CH-Kommentar des Johannes Sarracenus[109]. Wie Hugo betont auch er die ungewöhnlichen Schwierigkeiten des CD, denen der In-terpret [Scotus Eriugena] ,,nicht wenig an Dunkelheit hinzugefügt" hätte[110]. Die eigentliche große Leistung des Sarracenus aber ist die

---

[107] PL 175, Sp. 923–1154; sieh H. Weisweiler, dessen These von der Benutzung eines ,,Zwischenkommentators" (S. 40) indes nicht aufrechtzuerhalten ist (Dondaine, S. 29, Anm. 18).

[108] J. Châtillon, Hugues de Saint-Victor critique de Jean Scot, in: Jean Scot Érigène et l'histoire de la philosophie. Colloques internationaux du Centre de la Recherche Scientifique, Paris 1977, S. 433–437.

[109] Noch ungedruckt; sieh P. Gabriel Théry, Existe-t-il un commentaire de S. Sar-razin sur la ,Hiérarchie céleste' du Pseudo-Denys? Revue des sciences philos. et théol. 11 (1922) 61–81; ders. Documents (1950/51) 145–187.

[110] Zitiert bei Grabmann, S. 459.

neue, durch ,,Eleganz und Klarheit'' (Dondaine) ausgezeichnete neue
Übersetzung des dionysischen Corpus[111] (1166/1167), die die ,,bar-
barisch-bizarre'' (Berschin) Version des Eruigena abzulösen in der
Lage war. Die ,,Klarheit'' erreichte Sarracenus, der ein vortrefflicher
Gräzist war, indem er auf Wörtlichkeit verzichtete: *Sensum potius
quam verba sum secutus*[112].

Sarracenus ist von keinem Geringeren als Johannes von Salisbury
zu seiner Übersetzung angeregt worden. Ihm galten auch die Wid-
mungsbriefe zu CH und EH, während diejenigen zu DN und MTh
an Odo II., Abt von St. Denis, gerichtet sind[113]. Schon durch diese
Doppelbeziehung wird deutlich, wie sehr Sarracenus im Zentrum
wissenschaftlicher Aktivitäten der Zeit angesiedelt ist. Was St. Denis
in dieser Zeit betrifft, so ist es die Hochburg von Griechisch-Studien;
es verschafft sich durch persönliche Beziehungen zu Byzanz griechische Codices, darunter noch einmal das CD[114].

Als *nova translatio* hat die Sarracenus-Übersetzung die Vorläuferin
Eriugenas langsam, aber stetig verdrängt[115]. Albertus Magnus be-
nutzte beim CH- und teilweise beim EH-Kommentar noch Eriugena, zu den ‚Expositiones‘ der DN und MTh indes Sarracenus. Thomas von Aquin und Ulrich von Straßburg basieren in ihren Diony-
sius-Kommentaren wesentlich auf Sarracenus, wobei der souveräne
Umgang des Thomas mit dem Text auffällt: er korrigiert nach Be-
dürfnis Eriugena mit Sarracenus und Sarracenus mit Eriugena. So
viel ich auf Grund von Stichproben sehen kann, beruhen auch die
Dionysius-Zitate Meister Eckharts auf Sarracenus.

Der Erfolg der Sarracenus-Übertragung spiegelt sich, zwei Gene-
rationen später, auch in einer ,,Volksausgabe'', die sie in neue Ge-
braucherschichten trug: ich meine die ‚Extractio‘ des Thomas Gallus
(Vercellensis) v.J. 1238[116]. Es handelt sich um einen paraphrasieren-

---

[111] Ausgaben: Dionysiaca (Synopse). Zur Übertragung siehe Grabmann, S. 454–460;
Théry (1948), S. 359–381; Berschin, S. 277–279.

[112] PL 199, Sp. 260 A (Ep. 230 an Johannes von Salisbury).

[113] Die Schreiben an Johannes von Salisbury PL 199, Sp. 143f., 259f.; an Odo II.
von St. Denis bei Grabmann, S. 456 und 456f.

[114] Berschin, S. 278f.

[115] Zur Aufnahme der Sarracenus-Übertragung siehe Dondaine, S. 111–115.

[116] Die ‚Extractio‘ ist ediert im Anhang Dionysiaca I, S. 673–717; dazu Dondaine,
S. 10, 31f., 115.

den Auszug der vier Dionysischen Traktate, dazu angetan, den Areopagiten ohne großen Aufwand zur Verfügung zu stellen. Wenn ich
richtig sehe, ist die ‚Extractio' eine der wichtigsten Schriften, die
Dionysius als spirituellen Lehrer vermittelten[117].

Am Ende einer kontinuierlichen Textentwicklung von 400 Jahren,
die als Prozeß der Aneignung und Erweiterung kaum ihresgleichen
haben dürfte, steht das ‚Pariser Corpus Dionysiacum'. Es wird zum
hochrangigen Arbeitsinstrument der Schultheologen, nachdem es
nach Eriugena, der ein ‚freier' Gelehrter war, vor allem in monasti-
schen Kreisen gelebt hat. Die maßgebliche Handschrift ist Cod. lat.
17341 der Pariser Nationalbibliothek, im 3. Viertel des 13. Jahrhunderts geschrieben, Geschenk des Pariser Magisters Gérard d'Abbevil-
le († 1272) an den Saint-Jacques-Konvent der Dominikaner im Quar-
tier latin[118]. Außerdem überliefern 12 weitere Handschriften das Corpus, aber nie vollständig[119]. Das ‚Pariser CD' enthält folgende Texte:

I. ‚Opus maius' mit der ‚Vetus translatio':
   1. CH in der Übertragung Eriugenas, begleitet von Scholien des
      Johannes von Scythopolis/Maximus Confessor und Anasta-
      sius, sowie Erklärungen Eriugenas, Hugos von St. Viktor und
      des Sarracenus.
   2. EH, DN, MTh, 10 Ep. (+ Ep. 11) in der Übertragung Eriu-
      genas, begleitet von Scholien des Johannes von Scythopolis/
      Maximus Confessor und des Anastasius, Auszügen aus Eriu-
      genas ‚De divisione naturae' und der Glosse E'[120].
II. ‚Nova translatio' des gesamten Corpus von Sarracenus.
III. ‚Extractio' des Thomas Gallus.

Trotz der sorgfältigen Untersuchungen namentlich von Théry und
Dondaine kann die Bedeutung des ‚Pariser CD' für die Hochschola-

---

[117] Schon Grabmann, S. 461, hat darauf hingewiesen, daß Thomas Gallus im Streit
um die mystische Theologie in bayrischen Benediktiner- und Kartäuserkreisen des
15. Jahrhunderts „eine bedeutende Rolle" spielt. Dominant ist die Benutzung der
‚Extractio' in Rudolfs von Biberach ‚De septem itineribus aeternitatis', einem weitgehend aus Zitaten zusammengesetzten mystischen Traktat, der auch den Weg in die
Volkssprache gefunden hat; s. Margot Schmidt, Rudolf von Biberach, *die siben strassen
zu got*. Die hochalemannische Übertragung nach der Handschrift Einsiedeln 278 (Spi-
cilegium Bonaventurianum VI), Quaracchi Florentiae 1969, Quellen S. 252f.

[118] Genaue Beschreibung von Dondaine, S. 15–21.

[119] Aufgeführt bei Dondaine, S. 72–74.

[120] Über sie Dondaine, S. 89–108.

stik erst in Umrissen, für das 14. und 15. Jahrhundert noch gar nicht
erkannt werden. Feststeht die außerordentliche Wirkung auf Albertus Magnus. Dondaine sagt abschließend: ,,Explorer notre ,Corpus',
c'est bien atteindre une des sources vives de la théologie de saint
Albert le Grand" (S. 128).

5.

Die letzte hochmittelalterliche Dionysius-Übersetzung stammt
vom englischen Gelehrten Robert Grosseteste[121] (um 1168–1253), in
der letzten Phase seines langen Lebens (ab 1235) Bischof von Lincoln,
deshalb der sehr gebräuchliche Zweitname Lincolniensis. Obschon
sie außerhalb des ,Pariser CD' steht, das Geschichte machte, zu spät
erschien (1239–1243), um den Hochscholastikern zu dienen, und so
die im ,Pariser CD' etablierte Sarracenus-Version nicht zu verdrän-
gen vermochte, ist sie von größtem Interesse. Es wiederholen sich
nämlich in ihr wie in einem scharf konturierten Aufriß sämtliche
Tendenzen und Erfahrungen, die in der Jahrhunderte währenden
Heranbildung des ,Pariser CP' beobachtet werden können.
  Da wiederholt sich die Teamarbeit des Hilduin, nur nicht arbeits-
teilig, sondern arbeitsintensiv. Grosseteste umgab sich in seinem Bi-
schofssitz – und der Lincoln-Zeit gehören die Dionysius-Übertra-
gungen an – mit einem Stab von griechischen Experten, die er aus
dem normannischen Sizilien holte; einer davon, John Basingstoke,
Archidiakon von Leicester, hatte Studienjahre in Athen verbracht.
Die griechischen *adjutores,* in Verbindung gebracht mit nicht wider-
spruchsfreien Äußerungen Roger Bacons, Grossetestes Schüler[122],
haben die Frage aufgeworfen, ob der Lincolniensis nicht doch nur ein
mäßig ausgebildeter und versierter Griechischkenner gewesen sei.
Man muß sie mit Franceschini entschieden verneinen und in Grosseteste den bedeutendsten Gräzisten seiner Zeit erblicken.

---

[121] Ausgabe: Dionysiaca (Synopse). Über die Übertragung handelt mustergültig
und umfassend Ezio Franceschini; es ist die vortrefflichste Studie im Rahmen der
gesamten Dionysius-Übersetzungen. Selbständigen Charakter hat noch die Skizze bei
Berschin, S. 294–297.
[122] Sieh mit reicher Dokumentation Franceschini, S. 416 ff.

Wenn Grosseteste in seinem Übersetzungsgrundsatz auf die *mens* des Autors und die *venustas sui sermonis*[123], vorzüglich auf die letztere, abhob, indem er spezifische Wortbildungen, Hellenismen, Stileigentümlichkeiten zu imitieren unternahm, kehrt er wieder zur Wort-für-Wort-Methode des Eriugena zurück. Aber im Unterschied zu diesem tat er es weniger divinatorisch als in der Anwendung seines nun wirklich phänomenalen philologischen Wissens.

Ich erwähne nur wenige Beispiele aus der Fülle des von Franceschini aus Grossetestes Dionysius-Kommentar[124] gebotenen Materials (S. 479ff., bes. 523–530), und zwar aus dem Bereich der Zusammensetzungen, die auch für ihn die wichtigste Rolle spielen. Er stellt fest, daß nicht alle Composita im Lateinischen Entsprechungen aufweisen oder solche korrekterweise gebildet werden können. Er empfiehlt in diesem Fall grundsätzlich die Nachbildung, sofern sie nicht *multum absone latinitati* seien[125]. Das sind Fälle wie *bonidecenter*, ἀγαθοπρεπῶς, ‚wohlgeziemend‘ (E[riugena] hat *optime, divinitus*, S[arracenus] *ut decet bonum*); *ductativus*, ἡγεμονικόν, das Grosseteste mit S teilt; *intranscasualiter*, ἀμεσταπτώτως ‚unzerstörbar‘ (S: *intransmutabiliter*); *sacredecenter*, ἱεροπρεπῶς, ἀγιοπρεπῶς (E: *sancte et decenter [pulchre]*, *divinitus*, S: *ut decet sanctum*; Hilduin hat bereits *sacre-*, *sacridecenter!*); *sacredoctor*, ἱεροδιδάσκαλος (E, S *magister sanctus*).

Wie in der Entwicklung des ‚Pariser CD‘ eine Übersetzungsleistung auf der früheren beruht, die damit auf einen neuen Stand gebracht wurde, so hat auch Grosseteste seine Vorgänger, Eriugena und Sarracenus, konsultiert und kritisch bewertet. Dabei ging es ihm um die Korrektheit bzw. Exaktheit der früheren Übertragungen, die er am griechischen Text, der ihm in mehreren Exemplaren zur Verfügung stand, überprüfte. Er leistete so Textkritik nach allen Regeln der Kunst. Zu Dutzenden von Textstellen[126] bietet er Erklärungen an, inwiefern sich die Übersetzer geirrt haben, inwiefern aber auch der griechische Text korrupt ist.

Dazu je ein Beispiel (Franceschini, S. 534 und 536). CH VIII 1 (237 C) ἐκφαίνει τοῦ θεοειδοῦς ἰδιότητας = *manifestat* (E, S: *significat*) *Deiformes proprietates* (sieh Dionysia-

---

[123] Zitiert Franceschini, S. 482.

[124] Das Ganze noch ungedruckt. Nur der MTh-Kommentar liegt vor: Ulderico Gamba, Il commento di Roberto Grossatesta al ‚De Mystica Theologia‘ del Pseudo-Dionigi Areopagita (Orbis Romanus 14), Mailand 1942.

[125] Die ganze ausführliche Stellungnahme Grossetestes zu den lateinischen Nachbildungen griechischer Composita bei Franceschini S. 482. – Die Belege für die anschließenden Beispiele sind über die Wortregister der Dionysiaca zu finden.

[126] Franceschini, S. 531–538.

ca I, 870[2,3]): *Invenitus autem in aliquibus libris latinis:* deiformes (so alle mittelalterlichen Übersetzer!), *accusativi casu: quod est ex errore scriptorum. Est enim in greco manifeste neutrum substantivatum, genitivi casus, singularis, cum articulo consimili; unde vera littera est:* deiformis, *neutri generis, genitivi casus.* (Indes bietet auch die Grosseteste-Übertragung deiformes!). – Zu CH XIV (321 A) ὑγιότης (Variante von ὑπὸ τῆς in der Ausgabe Heil/ Gandillac) δεαρχικῆς, *a thearchica* (so auch S, *sanitatem* E) *Corruptio scriptoris* [Dionysii] *fecit hic aliquos translatores* [Eriugena] *errare; qui pro:* ΥΠΟ-ΤΗC, *prepositione et articulo, scripsit:* ΥΓΙΟΤΗC, *unam dictionem que significat* sanitatem, *hac littera:* pH *commutata scriptoris vitio in* gamma *et* iota . . . .

Endlich erfüllt Grosseteste – in Übereinstimmung mit dem ‚Pariser CD' – die Ansprüche eines kommentierten Textes. Er hat die Scholien des Maximus, die diejenigen des Johannes von Scythopolis einschließen, übersetzt[127] und einen fortlaufenden Kommentar zum Gesamtkorpus (aus dem wir oben bereits zitierten) geschrieben, der nicht für sich selbst, sondern als Hilfsmittel der Übersetzung betrachtet werden will. Er müßte die Lektüre des Textes ständig begleiten. Die meisten Erklärungen sind philologischer Natur, Bemerkungen zur Graphie und Wortbildung, zu Wortbedeutungen und Etymologien des Griechischen, über Unterschiede des Griechischen gegenüber dem Lateinischen, zum Textverständnis mittels Textkritik usw: ein erstaunliches Repertorium der Übersetzungskunst im Mittelalter. Es berührt die Leistung des Erklärers nicht, wenn er häufiger, als wir es erwarten, seinen eigenen Empfehlungen nicht folgt. Das rührt wohl daher, daß er nicht, wie es Sarracenus praktizierte, zuerst den Kommentar schrieb, dem die Übersetzung folgte, sondern den Kommentar zu seiner Übertragung nachreichte. Umso enger gehört beides zusammen (was eine zukünftige Ausgabe zu berücksichtigen hätte).

Grossetestes Übersetzung ist eine ungewöhnliche Leistung, so etwas wie eine mittelalterliche kritisch-historische Ausgabe, die alle Möglichkeiten der Erschließung eines Textes ausschöpft. Sahen sich die Theologen, für die sie geschrieben war, durch diesen Anspruch, zumal der Benützung eines ‚‚Apparats'', überfordert? Sie hatte jedenfalls nur in Grossetestes Heimat, in England, einen bescheidenen Erfolg. Das gilt auch vom Interesse an der griechischen Sprache. Roger Bacon verfaßte ein griechisches Lehrbuch, ‚‚das – soweit bekannt – relativ beste Hilfsmittel zur Erlernung des Griechischen im

---

[127] Franceschini, S. 442–446.

Mittelalter"[128]. Aber damit verstummt England als Eden von Grie-
chisch-Studien.

Grosseteste gehört mit der kommentierten Dionysius-Übersetzung sowie seinen übrigen Schriften zu den wichtigsten Vertretern
der hochmittelalterlichen Mystik, und zwar zu denjenigen, die auch
in die Volkssprachen hineinwirkten. Seine Bedeutung zeichnet sich
immer deutlicher ab. Der franziskanische Chronist Salimbene von
Parma verriet ein gutes Urteil, wenn er schrieb: *fuit Robertus Grossatesta unus de maioribus clericis de mundo*[129].

---

[128] Berschin, S. 299.
[129] MGM, Script. XXXII, S. 233.

BR 65 .D66 R84 1987

Ruh, Kurt, 1914-

Die mystische Gotteslehre
des Dionysius Areopagita

GENERAL THEOLOGICAL SEMINARY
NEW YORK

DATE DUE

HIGHSMITH #LO-45220